Sally Nicholls

Quand vous lirez
ce livre...

L'auteur

Sally Nicholls a écrit *Quand vous lirez ce livre…* à vingt-trois ans. En 2005, elle a obtenu un diplôme de philosophie et littérature à l'université de Warwick et a été admise en master d'écriture pour la jeunesse à l'université de Bath Spa, où elle a remporté un prix réputé en Angleterre récompensant le potentiel d'un jeune écrivain. *Quand vous lirez ce livre…* est son premier roman.

Sally Nicholls

Quand vous lirez ce livre...

*Traduit de l'anglais
par Xavier d'Almeida*

POCKET JEUNESSE

Ouvrage publié sous la direction de :
Xavier d'Almeida

Titre original :
Ways to live forever

Publié pour la première fois
au Royaume-Uni en 2008 par
Marion Lloyd Books
An imprint of Scholastic Ltd,
Londres

Loi n°49 956 du 16 juillet 1949
sur les publications destinées à la jeunesse : octobre 2008

ISBN 978-2-266-17949-2

À Maman et Tom,
Nicole, Carolyn et Sarah,
Merci.

Voici mon livre, commencé le 7 janvier et terminé le 12 avril. C'est un recueil de listes, de questions et d'histoires vraies.
C'est aussi mon histoire.

Liste n° 1

Mes 5 caractéristiques principales :

1 - Je m'appelle Sam.

2 - J'ai 11 ans.

3 - Je recueille les histoires
et les faits incroyables.

4 - J'ai une leucémie.

5 - Quand vous lirez ceci, je serai sans doute mort.

Un livre sur nous

Aujourd'hui, c'était notre premier jour d'école depuis les vacances de Noël. On n'a classe que trois jours par semaine : le lundi, le mercredi et le vendredi, dans le salon. Et nous sommes seulement deux élèves : Félix et moi. Félix ne voit pas pourquoi il devrait apprendre quoi que ce soit.

La première fois qu'il est arrivé chez moi, il a demandé : « À quoi ça sert d'être malade si on doit quand même apprendre les maths ? » Mademoiselle Willis, notre professeur, n'a rien dit. Si Félix ne veut pas travailler, elle n'en fait pas toute une histoire. Elle le laisse tranquille, affalé sur sa chaise à critiquer ce que je suis en train de faire :

« C'est pas comme ça qu'on écrit "ammonium" !

J'ai jamais vu "ammonium" écrit comme ça dans mon école ! »

« Il y a bien une planète qui s'appelle Hercule, n'est-ce pas, Mademoiselle Willis ? »

« Mais pourquoi est-ce que tu fais ça, Sam ? »

De toute façon, si Félix vient à l'école, c'est seulement pour me voir et pour laisser souffler sa mère.

Ces derniers temps, Mademoiselle Willis a cherché un truc pour l'intéresser. Vous voyez le genre : elle nous fait construire des volcans qui ont de vraies éruptions, elle nous apprend à cuisiner comme les Romains ou à faire du feu avec une loupe. Il n'y a que Maman qui n'a pas trop aimé ce dernier TP parce qu'on avait accidentellement fait un trou de brûlure dans la table du salon. Enfin... c'était un accident un peu volontaire...

Pourtant, aujourd'hui, Mademoiselle Willis nous a seulement proposé : « Et si on écrivait un peu ? » Alors on a tous les deux râlé, parce qu'on espérait avoir au moins droit à du feu ou mieux, à une nouvelle explosion. Mais elle a insisté : « Allons, un petit effort. J'ai pensé que vous pourriez écrire quelque chose sur vous. Je sais que vous aimez lire tous les deux. »

Félix a levé les yeux. Il était en train de jouer avec

deux de mes figurines d'orcs du jeu Warhammer. Il les faisait combattre l'une contre l'autre en grognant « Grrrrah. »

Et il a répondu : « C'est qu'il n'y a rien d'autre à faire à l'hôpital. »

Félix et moi, on est des experts de l'hôpital. C'est là qu'on s'est rencontrés l'année dernière.

Mais bon, je ne voyais pas en quoi aimer lire avait à voir avec le fait d'écrire sur moi. Alors j'ai dit : « Les livres sont toujours à propos d'enfants qui sauvent le monde ou qui se plaignent parce que leurs parents vont divorcer. Qui aurait envie d'écrire un livre sur nous ? »

Félix m'a interrompu : « Peut-être pas toi, mais regarde… » Il a posé sa main contre son front et s'est laissé retomber lourdement sur sa chaise. « La tragique histoire de Sam McQueen, un pauvre enfant si fragile qui lutte bravement contre une souffrance terrible et des hôpitaux sans télé ! »

J'ai fait semblant de vomir. Félix a tendu sa main — celle qui n'était pas posée sur son front — vers moi.

Et il a gémi : « Adieu, adieu, mes chers amis », avant de s'effondrer sur sa chaise en suffoquant.

Mademoiselle Willis a dit d'un air sévère : « Interdit de mourir sur la table, Félix ! », mais on voyait bien qu'elle n'était pas vraiment fâchée. Elle a repris : « J'aimerais que vous essayiez tous les deux maintenant. Racontez-moi quelque chose de personnel, mais vous n'êtes pas non plus obligés d'écrire un livre entier avant le déjeuner ! »

Alors, voilà, c'est ça qu'on est en train de faire maintenant. Enfin, ce que je suis en train de faire, parce que Félix, lui... Il s'est contenté de marquer : « Je m'appelle Félix Stranger et », puis il a arrêté. Mademoiselle Willis ne l'a pas forcé à en écrire plus, mais moi, j'en suis déjà à ma troisième page.

De toute façon, le cours est presque terminé. Il n'y a pas un bruit. Mademoiselle Willis fait semblant de corriger des copies alors qu'elle lit un roman pour filles posé sur ses genoux. Félix guide mes orcs dans une attaque sournoise contre une plante en pot. Le chat Colombus, lui, regarde la scène de ses yeux jaunes.

Dans la cuisine, Maman prépare la soupe, notre déjeuner. Papa travaille dans son étude de notaire. Ma sœur Elsa est à l'école. La vraie école. L'école primaire de Thomas Street.

Ça ne devrait plus tarder maintenant... Ça y est ! J'entends la sonnerie de l'entrée ! La mère de Félix est arrivée, l'école est finie.

Pourquoi j'aime apprendre

J'aime apprendre et connaître plein de choses. Je veux savoir. Les adultes ne comprennent jamais ça. Quand on leur pose une question simple comme : « Est-ce que j'aurai un nouveau vélo pour Noël ? » ils bafouillent toujours une réponse bizarre du genre : « Pourquoi tu n'attends pas de savoir comment tu iras à ce moment-là ? » C'est la même chose quand on demande au médecin : « Combien de temps est-ce que je vais devoir rester à l'hôpital ? » Il répond toujours un truc comme : « On verra comment tu te rétablis », ce qui est la façon qu'ont les docteurs de dire « je ne sais pas ».

Le Dr Bill m'a promis que je n'irais plus jamais à l'hôpital. Maintenant, je vais seulement aller dans des cliniques spécialisées et, si un jour je me sens vraiment mal, je pourrai rester à la maison.

Parce que je vais mourir.

Probablement.

Quand on est en train de mourir, les adultes sortent leurs plus gros bafouillages. Si on leur pose des questions là-dessus, ils ne répondent jamais. Ils préfèrent tousser avant de changer de sujet.

Si je grandis, je serai scientifique. Mais pas comme ceux qui mélangent des produits chimiques. Non, moi j'enquêterai sur les ovnis, les fantômes et les autres mystères inconnus. J'irai dans les maisons hantées et je ferai des expériences pour savoir si oui ou non les esprits, les extraterrestres ou les monstres du loch Ness existent vraiment. Je suis très bon pour résoudre des énigmes et je vais trouver la réponse à toutes les questions auxquelles personne ne répond jamais.

J'ai bien dit toutes les questions.

Le 7 janvier

Elsa

Ma sœur Elsa est aussi retournée à l'école aujourd'hui, après une grosse dispute avec Maman. Elle ne comprend pas pourquoi, moi, j'aurais le droit de rester toute la journée à la maison et pas elle.

Elle a hurlé à Maman : « Sam ne va plus à l'école ! Et toi, tu ne vas même pas au travail ! »

Maman lui a répondu : « Je dois prendre soin de ton frère. »

« C'est pas vrai. Tout ce que tu fais, c'est repasser, planter des trucs et bavarder avec Mamie. »

Et c'est la vérité.

Laissez-moi vous présenter Elsa. Elle a 8 ans, des cheveux noirs et brillants, des yeux vert et marron comme des pierres précieuses. Personne d'autre qu'elle dans ma famille ne fait autant attention à son apparence. Mamie se promène dans des pantalons rapiécés et des gilets matelassés avec plein de poches pour fourrer ses stylos, ses sacs de graines ou ses billets de train. Et les habits de Maman ont tous au moins 100 ans. Mais Elsa, elle, fait toujours toute une histoire à propos des vêtements qu'elle porte. Elle a une grande boîte de vernis à ongles et a pris tout le maquillage de Maman, qui, elle, ne s'en sert jamais.

« Pourquoi tu ne te maquilles pas ? » lui demande toujours Elsa. « Dis, pourquoi ? »

Ma sœur pose toujours des questions. Mamie dit qu'elle est née en posant une question et qu'elle n'a pas encore obtenu la réponse.

« C'est vrai ? » l'a interrogée Elsa quand elle a entendu cette histoire. « Et qu'est-ce que j'ai demandé ? »

On s'est tous mis à rire.

« Où suis-je ? » a dit Maman.

« Qui sont ces drôles de gens ? » a répondu Mamie.

« Mais qu'est-ce que je fais là ? » a dit Papa. « J'étais censée être une princesse ! »

Et moi, j'ai ajouté : « Tu serais une princesse vraiment débile. »

C'est l'après-midi, et je suis encore en train d'écrire. Je parie que je pourrais facilement écrire un livre entier. Maureen, une amie de Maman, est arrivée et, bien sûr, il fallait qu'elle vienne voir comment j'allais. Elle ne s'est décidée à partir que lorsque ma mère est allée chercher Elsa à l'école. J'étais en train de penser à mes listes de questions quand elles sont rentrées. Elsa a couru droit vers moi.

« Qu'est-ce que tu fais ? »

« Un truc pour l'école. » J'ai caché ma page avec mon bras. Elsa s'est mise juste derrière moi et a regardé par-dessus mon épaule.

« Elsa ! Je suis occupé. » C'était justement ce qu'il ne fallait pas dire. Elle a tiré sur mon bras.

« Alleeeez, laisse-moi voir ! »

« Maman ! Elsa m'empêche de travailler ! »

« Sam ne veut pas me laisser regarder ce qu'il fait ! »

Maman était au téléphone. Elle est arrivée avec le combiné serré contre sa poitrine.

« Les enfants ! Du calme ! Elsa, laisse ton frère tranquille. »

J'ai fait une grimace à Elsa qui s'est jetée sur le canapé en râlant : « C'est pas juste ! Tu le laisses toujours gagner ! »

Elsa et Maman se disputent tout le temps et Elsa

dit toujours que c'est injuste. Je suis sûr que c'est pour ça que je gagne à chaque fois : moi, je ne fais pas de caprices comme elle.

Maman a raccroché le téléphone et s'est approchée de ma sœur. Mais Elsa a crié : « Va-t'en ! », avant de monter l'escalier en courant. Maman a poussé un profond soupir. Comme elle venait vers moi, j'ai refermé mon bloc-notes pour qu'elle ne voie pas ce que j'étais en train d'y écrire.

« C'est un secret, c'est ça ? » m'a-t-elle demandé.

« C'est pour l'école. » Je tenais mon stylo au-dessus du carnet fermé. Maman a soupiré de nouveau. Elle m'a embrassé sur le haut du crâne et puis elle est montée à l'étage rejoindre Elsa.

J'ai attendu d'être sûr qu'elle était bien partie pour reprendre mon stylo et recommencer à écrire.

QUESTIONS AUXQUELLES PERSONNE NE RÉPOND JAMAIS

n° 1

Comment est-ce qu'on sait qu'on est mort ?

Comment est-ce qu'on sait qu'on est mort ?

Aujourd'hui, on a encore eu école. J'ai annoncé à Mademoiselle Willis que j'allais écrire un livre :

« Ce sera un livre sur moi, mais aussi une enquête scientifique. J'ai déjà bien avancé. » Et je lui ai montré ma première *Question à laquelle personne ne répond jamais.*

« C'est très louable », a-t-elle répondu. « Mais comment vas-tu faire pour trouver des réponses à ces questions ? »

« Je vais chercher sur Internet. »

On peut tout trouver sur Internet.

Mademoiselle Willis nous a laissés, Félix et moi, chercher comment on pouvait savoir si on était mort ou pas.

On a dû aller prendre l'ordinateur portable de Papa dans son bureau, parce que, en ce moment, Félix est dans un fauteuil roulant et il ne peut pas monter les escaliers. La première fois que je l'ai rencontré, il ne l'utilisait que de temps en temps, mais aujourd'hui il est presque toujours dedans. Il pourrait marcher, mais il adore que tout le monde s'occupe de lui.

On a commencé par taper sur Wikipédia et puis on a fini sur un site qui parlait des expériences aux frontières de la mort. On parle d'expérience aux frontières de la mort quand quelqu'un est en train de mourir puis change d'avis au dernier moment et revient. Le site disait que cela arrivait à cinq pour cent des adultes américains.

« C'est ça, bien sûr… », a dit Félix.

Le site disait aussi que plein de choses différentes sont arrivées à ces gens. Ils ont descendu des tunnels sombres, aperçu des lumières brillantes et des anges. Parfois, ils ont flotté au-dessus de leur corps et vu les médecins parler d'eux ou leur faire subir des électro-chocs. C'était pile le genre d'études scientifiques que je voulais faire. Je trouvais ça génial. Mais pas Félix.

« N'importe quoi », a-t-il dit. « Tout le monde ne peut pas voir des anges. Et les tueurs en série, alors ? »

Mademoiselle Willis nous a demandé de répertorier ce qui nous semblait vrai ou faux, comme dans une vraie enquête scientifique. C'était un nouveau stratagème pour mettre Félix au travail mais, cette fois-ci, ça a fonctionné. Il a écrit huit phrases entières pour expliquer que ces expériences sont impossibles.

LES EXPÉRIENCES AUX FRONTIÈRES DE LA MORT.
POURQUOI ELLES N'EXISTENT PAS.
PAR FÉLIX STRANGER.

Les expériences aux frontières de la mort
ne sont pas de vraies expériences de mort puisque
les gens ne meurent pas vraiment. Elles arrivent
quand leur cerveau devient fou parce qu'il n'a pas
reçu assez d'oxygène ou quand ils ont pris trop
de drogues. Si ces expériences existent bien,
alors pourquoi sont-elles si différentes
d'une personne à l'autre ? Pourquoi les gens
ne voient pas des démons ou d'autres trucs
comme ça ? Ils ont inventé ces histoires
pour se faire remarquer. C'était la même chose
avec les cercles dans les champs de blé. Tout
le monde croyait qu'ils avaient été dessinés
par des vaisseaux spatiaux alors que c'était juste

quelques fermiers qui essayaient de devenir
célèbres grâce à leur moissonneuse-batteuse.

Il jouait le rôle du cynique. Je devais donc prendre celui du scientifique révolutionnaire.

LES EXPÉRIENCES AUX FRONTIÈRES DE LA MORT.
POURQUOI ELLES EXISTENT.
PAR SAM MCQUEEN.

On connaît l'existence des expériences aux
frontières de la mort depuis Platon, qui vécut
il y a des siècles. On le sait parce qu'il a écrit
des textes là-dessus. Lors d'une expérience
aux frontières de la mort, la personne meurt
pour de bon, puis revient. Ce qui lui arrive
est donc réel, comme ce qu'elle voit. Par exemple,
une femme qui flottait au plafond entendit
les médecins dire des choses et elle découvrit
plus tard qu'ils les avaient vraiment dites.
Mais elle ne pouvait pas le savoir puisqu'elle
était morte à ce moment-là. Il arrive aussi
que des gens vivent des choses désagréables.
Comme ce type qui a été piqué par des elfes
avec une fourche.

Mademoiselle Willis a déclaré qu'on avait en effet l'esprit scientifique et qu'elle était désolée d'en avoir douté. Félix et moi, on a passé le reste de la leçon à organiser la meilleure expérience aux frontières de la mort. On est restés un peu coincés parce qu'on voulait tous les deux aller au paradis, mais à la condition de pouvoir aussi tomber sur les elfes avec leurs fourches.

Liste n° 2

Voici à quoi je ressemble (en 5 points) :

1 - J'ai des cheveux. Ils étaient tombés l'année dernière à cause de mon traitement, mais ils ont repoussé. Ils sont châtain clair.

2 - J'ai les yeux bleus.

3 - J'ai pas mal de bleus sur le corps. Ce n'est pas ma faute. C'est à cause de ma leucémie.

4 - Je suis assez petit pour un enfant de 11 ans et je suis plutôt pâle.

5 - J'ai une tache de naissance sur le genou. Elle est en forme de trèfle à quatre feuilles mais celui-là, il n'exauce pas les vœux.

Le 10 janvier
Maman et Papa

Maman travaillait pour une association d'aide aux enfants qui ont du mal à apprendre. Elle s'est arrêtée quand je suis retombé malade. Maintenant, elle reste à la maison, m'emmène à la clinique et s'occupe des gens qui viennent nous rendre visite. Elle sort tous les dimanches pour aller à l'église et chanter avec la chorale. Elsa y va aussi parfois, mais seulement parce que là-bas, c'est elle la star. Moi aussi j'y allais de temps en temps mais plus maintenant parce que, justement, j'ai horreur qu'on s'agite autour de moi. Papa, lui, ne le fait jamais.

Papa est très intelligent. Il connaît plein de choses, mais je ne pourrai pas lui poser une seule de mes questions parce qu'il ne parle pas de ma maladie. Je n'ai d'ailleurs jamais essayé d'en discuter avec lui mais, un jour, Mamie et certaines de mes tantes l'ont fait. Il leur a juste répondu : « On ne va pas parler de ça », puis il est sorti de la pièce.

J'ai beaucoup d'oncles et de tantes. Maman a un frère mais Papa, lui, a un frère et quatre sœurs. Maman dit que c'est pour ça qu'il est si silencieux et qu'il aime avoir du temps pour lire son journal dans le calme, parce qu'il n'a jamais pu être tranquille quand il était enfant. Moi je crois que c'est n'importe quoi parce que mes oncles et mes tantes n'ont pas pu être tranquilles non plus et pourtant ils passent leur temps à parler et à rire.

Mais Papa, lui, c'est un silencieux, comme moi. Il est timide. Quand on est en famille, juste entre nous, il parle et raconte des blagues et plein d'histoires. Mais Papa n'aime pas trop qu'il y ait beaucoup de monde dans la maison, comme en ce moment, quand ils n'arrêtent pas de venir nous voir. Il lit son journal sans rien dire ou bien, s'il n'aime pas du tout les gens qui sont là, il va lire son journal dans son bureau.

Je ne vois pas ce qu'il y a de mal à ça. Des fois, j'aimerais bien pouvoir aller me cacher moi aussi.

Mamie se met parfois en colère contre Papa parce qu'elle dit qu'il laisse Maman tout faire. Mais Papa fait des choses : il gagne de l'argent et il aide vraiment Maman et les autres gens aussi. Comme une fois, quand j'étais à l'hôpital, Elsa et lui sont rentrés à la maison et ils ont trouvé quatre grandes casseroles de soupe que quelqu'un avait posées sur le seuil de la porte pour les aider. C'était très gentil, c'est sûr, mais il y en avait beaucoup trop pour nous ! Alors Papa a eu une idée. Avec Elsa, ils ont réchauffé toutes les soupes et ils les ont apportées à l'hôpital pour en donner à tous les gens qui attendaient aux urgences.

Tout le monde les a pris pour des fous mais, au final, il n'est plus resté une seule goutte de soupe.

Liste n° 3

Les choses que je veux faire :

1 - Devenir un scientifique célèbre.

2 - Battre un record du monde.
Pas un record sportif, bien sûr, un record
inutile et un peu idiot.

3 - Regarder tous les films d'horreur
que je n'ai pas le droit de voir. Ceux interdits
aux moins de 16 ans, et même ceux interdits
aux moins de 18 ans.

4 - Monter et descendre les escalators à l'envers.

5 - Voir un fantôme.

6 - Être adolescent et faire ce que font tous
les adolescents comme boire des bières, fumer et
avoir une copine.

7 - Conduire un dirigeable.

8 - Monter dans une navette spatiale et regarder
la Terre depuis l'espace.

Le 13 janvier
La boîte de nuit occasionnelle dans l'armoire

C'est Mademoiselle Willis qui m'a parlé des « choses à faire ». Elle dit qu'on devrait en faire une liste.

« Les choses que je veux faire, ou même juste les choses que je veux, de préférence réalisables, mais pas obligatoirement. »

J'ai envie de faire beaucoup de choses et j'ai bien aimé les écrire, comme Mademoiselle Willis. Elle, elle a écrit :

1. *Aller dans le Grand Canyon.*
2. *Nettoyer le grenier.*
3. *Pouvoir disposer d'un vrai laboratoire.*
4. *Apprendre à faire des meringues.*
5. *Dresser le chien.*

« Dresser le chien ! » s'est exclamé Félix. « C'est quoi, ce vœu ? »

« On voit que tu n'as jamais rencontré mon chien », lui a répondu Mademoiselle Willis.

La liste de Félix était très courte. Il avait écrit :

1. *Être riche et célèbre.*
2. *Atomiser tous les médecins.*
3. *Voir Green Day en concert.*

« Tu as déjà vu Green Day en concert », ai-je remarqué. « C'était avec ton frère. »

Félix s'est penché de nouveau sur sa liste. « Voilà ! » s'est-il exclamé. « T'es content, maintenant ? » Il avait ajouté un mot :

4. *Voir encore Green Day en concert.*

C'était une bonne journée de classe. On l'a terminée en dessinant des gens qui atomisaient Green Day depuis des dirigeables, avec au-dessous des rangées de fantômes qui buvaient de la bière en prenant des escalators à l'envers.

Après le départ de Mademoiselle Willis, Félix et

moi, on est restés assis à la table. J'ai commencé à étaler mon armée de Warhammer avec l'espoir qu'il aurait envie de faire une partie. Mais Félix relisait ma liste, son chapeau tiré devant les yeux. Il porte beaucoup de chapeaux parce que les médicaments qu'on lui a donnés l'an dernier ont fait tomber ses cheveux. Ils ont aussi fait tomber les miens mais, maintenant, ils ont repoussé ; pas ceux de Félix. Aujourd'hui, il porte son chapeau en feutre qui ressemble à un chapeau melon écrasé et qui lui donne l'air d'un James Bond débraillé.

« Est-ce que tu vas vraiment faire toutes ces choses ? » a-t-il demandé.

« Je sais pas… » J'étais beaucoup plus intéressé par l'organisation de mon armée de figurines. « J'imagine que non, pourquoi ? »

« Ben, on pourrait y arriver, non ? » Il m'a regardé droit dans les yeux comme s'il me mettait au défi de répondre. Je me suis mis à fouiller dans ma boîte à la recherche d'un autre archer.

« Ce ne sont pas des choses à faire pour de vrai », lui ai-je expliqué. « C'est plutôt comme… des vœux, pas des choses réelles. »

Félix s'est penché au-dessus de la table. Il aime bien débattre. « Et alors ? », a-t-il repris. « Mademoiselle Willis va bien faire des meringues, non ? Alors pourquoi on pourrait pas regarder des films d'horreur ? Mickey en a plein dans sa chambre. »

Il a poussé la liste devant moi.

« On pourrait seulement en faire deux là-dedans », ai-je dit. Je me suis agenouillé sur ma chaise et j'ai fini par m'allonger à mon tour sur la table pour lui montrer. « Celle-là et celle-là : on pourrait regarder des films d'horreur et prendre les escalators à l'envers. Peut-être. Mais on ne pourra pas faire le reste. »

« On pourrait faire le record du monde », a insisté Félix.

« On ne "fait" pas de record du monde. »

Je suis parti chercher mon *Livre Guinness des records* pour lui montrer. J'adore les records du monde. J'aime leur côté indiscutable. Le record de la plus rapide montée des marches de la CN Tower sur un pogo stick[1] est de 57 minutes et 51 secondes[2]. Le mot le plus long de la langue anglaise qui contient deux fois chacune de ses lettres est

----

1. La CN Tower de Toronto, au Canada, est l'une des plus grandes tours du monde. Elle mesure 553,33 mètres de haut et possède 1 776 marches. Le pogo stick est un bâton rebondissant à ressorts. *(N.d.T.)*
2. Record établi par Ashrita Furman le 23 juillet 1999. Ashrita Furman a battu plus de 60 records du monde, dont le record de la personne à avoir battu le plus de records du monde.

« unprosperousness ». Voilà, ça c'est un fait établi, écrit dans ce livre et, si on est capable de le battre, il suffit d'envoyer une lettre aux gens qui s'occupent des records et ils vérifient puis on devient quelque chose de réel et d'indiscutable, nous aussi. Et, en plus, on devient célèbre.

Félix m'a pris le livre des mains et s'est mis à le feuilleter à la recherche d'un record facile à battre.

« Record du plus grand nombre de vers mangés en une minute ! Essaye celui-là ! »

Je me souvenais de ce record. J'ai jeté un œil par-dessus son épaule. « Ce type a mangé deux cents vers. Je ne mangerai jamais deux cents vers ! »

« Deux cent un », a précisé Félix. Je l'ai ignoré. Il a continué de faire défiler les pages. « Record de la plus petite boîte de nuit du monde : 2,40 m sur 1,20 m. C'est pas un vrai record, ça ! Il date de quand, ce livre ? »

« Je l'ai eu pour Noël. »

Félix a secoué la tête. « Tout le monde peut construire une boîte de nuit. De quoi on a besoin ? De musique ? »

« Et aussi de stroboscopes… et d'une machine à fumée… », ai-je continué à lire.

Félix m'a fait un signe dédaigneux de la main.

« Laisse tomber. Tu n'as pas besoin de tout ça. Il suffit de mettre un lecteur de CD dans ton armoire. »

« C'est pas un record du monde, ça ! »

« Et pourquoi ? »

« Pour plein de raisons ! » Je ne gagne jamais les débats contre Félix. « D'abord parce que les boîtes sont ouvertes au public. »

« Ben nous aussi. C'est juste qu'on est un peu nuls question publicité. » Il a fait un grand sourire. «Allez, va chercher un lecteur de CD. T'as pas envie de battre le record ? »

Je lui ai fait une grimace, mais je suis quand même parti chercher le lecteur de CD de la cuisine. À mon retour, Félix était en train de regarder dans mon armoire. Ma chambre a été aménagée dans l'ancien garage. Donc, elle est au rez-de-chaussée. Elle est plutôt grande avec de gros meubles bleus tous assortis et plein de posters : un de Spiderman, un du système solaire, un autre du *Seigneur des Anneaux* et un dernier que mon oncle m'a rapporté du Canada, avec un loup dessus.

« Est-ce qu'il y a une prise ? » m'a demandé Félix. Il avait pris ma lampe de poche et éclairait l'intérieur de l'armoire.

« Il marche avec des piles. » J'ai posé le lecteur de

CD dans l'armoire puis je l'ai allumé. On a entendu *Don't Stop Me Now* de Queen. Félix a gémi et moi j'ai rigolé.

« Normal qu'on n'ait pas un seul client ! »

« Et alors ? » a dit Félix. « Regarde. On a de la musique et des éclairages. » Il a allumé la lampe de poche et l'a fait vaguement tournoyer dans l'armoire. « Hé ! On a même une piste de danse qui bouge ! » Il a éclairé mon vieux skate-board, appuyé contre le fond du meuble. « Record du monde. Qu'est-ce que tu veux de plus ? »

Je me suis mis à rire. Félix me fait toujours rire. Il a repris : « Regarde. Si tu crois toujours que c'est pas valable, on n'a qu'à créer notre propre record. La plus petite boîte de nuit occasionnelle dans une armoire. Je parie que personne n'a battu celui-là. »

« Mais parce que personne ne le tentera jamais ! Qui voudrait battre un record pareil ? »

« Qui grimperait la CN Tower en pogo stick ? » a répondu Félix. Il était mort de rire, lui aussi. « On s'en fiche que ce soit stupide, c'est un record, *point final*. »

« Non, ce n'est pas un record. Un record, c'est bien plus impressionnant que ça ! »

Félix a levé les yeux vers moi. On voyait qu'il était en train de manigancer quelque chose.

« Pas de problème », a-t-il dit.

Voici la liste des records (non officiels) que Félix et moi on a établis avant que sa mère arrive :

1. *Sam McQueen et Félix Stranger : plus petite boîte de nuit occasionnelle dans une armoire : The Portmanto.*

2. *Félix Stranger : record du plus grand nombre de corn-flakes mangés en quinze secondes : 5 poignées.*

3. *Sam McQueen : record de la montée des escaliers à cloche-pied (en se tenant à la rampe) : quarante-trois secondes.*

4. *Félix Stranger : record du plus grand nombre de fois à réciter l'alphabet en entier sans faute en trente secondes : neuf.*

5. *Maman : record de la montée la plus rapide des escaliers à cloche-pied (sans se tenir à la rampe). Record non homologué.*

QUESTIONS AUXQUELLES
PERSONNE NE RÉPOND JAMAIS

n° 2

*Pourquoi Dieu rend-il
les enfants malades ?*

Une bataille sanglante

Aujourd'hui, j'ai passé la journée à écrire sur Félix, la journée d'école et le record. Depuis que je suis retombé malade, je me sens parfois fatigué. Je n'ai qu'une envie, c'est de me blottir sous une couette et de regarder des films, lire un livre ou écrire encore et encore pour ne plus avoir à penser. Voilà comment je me sens aujourd'hui. Comme Papa est rentré plus tôt du travail, Maman en a profité pour emmener Elsa acheter des chaussures. C'était vraiment sympa d'avoir Papa pour moi tout seul. Même s'il a passé son temps à lire son livre.

Et puis Maman et Elsa sont rentrées.

« Ouf ! Enfin à la maison ! » a soufflé Maman.

Elle déteste aller faire des courses avec Elsa parce

qu'elles se disputent à chaque fois. Maman a laissé tomber ses sacs et nous a regardés. « Vous n'avez pas bougé depuis qu'on est parties ? » « Sam, qu'est-ce que tu fabriques ? Tu écris un roman ? »

J'ai refermé mon carnet. Je ne voulais pas qu'elle voie ce que j'étais en train de faire. Maman s'affole facilement. Je savais combien certaines de mes phrases auraient pu la bouleverser. Les questions, par exemple. Papa ne fait pas attention à ce genre de choses, mais Maman, elle, ça la fait pleurer.

« C'est pour l'école. »

« Dis-moi, j'ai l'impression que tout à coup tu travailles beaucoup pour l'école… N'est-ce pas ? »

Papa a levé les yeux de son livre. « Il n'a fait qu'écrire toute la journée », a-t-il dit en remontant ses lunettes sur son nez. « Si tu mets autant d'énergie à faire tes devoirs, tu ne crois pas qu'il serait temps de retourner à l'école ? Cette pauvre femme est venue ici assez longtemps, non ? »

Je me suis empressé de répondre : « Mais moi j'aime Mademoiselle Willis. Je ne veux pas retourner à l'école. Les autres enfants me regardent bizarrement et ils me posent plein de questions : "Pourquoi toi tu as le droit de rentrer chez toi quand tu es fatigué ?" ou : "Est-ce que tu es vraiment si malade que ça ?" »

« Daniel… », a repris Maman sur un ton de mise en garde.

Elsa les dévisageait. Papa a secoué la tête.

« C'est ridicule, tout le monde voit bien à quel point Sam va mieux aujourd'hui. C'est stupide de le garder enfermé ici sans rien à faire… »

« Mais j'ai plein de trucs à faire ! Papa, arrête, ça va. »

« Daniel… », a répété Maman. Son sourire avait tout à fait disparu. « Daniel, ne recommence pas… pas devant les enfants. *S'il te plaît.* »

Elsa tirait sur sa manche. « Maman ? Maman ? Qu'est-ce qui se passe ? Maman ? »

Maman n'a pas répondu. Elle regardait Papa. Celui-ci avait l'air à la fois coupable et déterminé.

« Je crois que ce médecin ne savait pas bien de quoi il parlait », a-t-il dit. « Sam va très bien. Regarde-le. »

Ils se sont tous tournés vers moi. Elsa a crié : « Sam ! »

J'ai levé la main vers mon visage. Elle était couverte de sang.

Maman a jeté un regard accusateur à Papa, comme si c'était sa faute. Mais c'était faux. Elle est venue s'agenouiller près de moi. « Tout va bien, Sam. Penche-toi en avant. Voilà. Il saigne juste du nez. Daniel – *Daniel*

— ne reste pas assis là — va chercher des mouchoirs.
Tout va bien, Sam. »

Je saigne souvent du nez et je déteste ça. Je ne supporte pas que tout le monde en fasse toute une histoire. Elsa fait la gentille petite fée et passe des mouchoirs à Maman. Maman me dit quoi faire, comme si je ne le savais pas déjà. Et Papa, qui reste assis là sans bouger et qui me regarde avec un drôle d'air.

J'ai baissé la tête et j'ai fait comme si un vent puissant avait soufflé à travers la maison et les avait tous balayés au loin. Je me suis concentré sur les gouttes de sang qui continuaient à couler — plic, plic, plic — de mes mains en coupe jusqu'à sur le sol.

Et maintenant je suis attaché à une sorte de perche. Cela arrive souvent aussi.

Quand mon nez a arrêté de saigner, Maman a appelé Annie. Annie travaille à l'hôpital et c'est mon infirmière personnelle. Elle est folle. Elle va partout sur son scooter rose et se surnomme elle-même Dracula parce qu'elle prend tout le temps du sang aux enfants pour faire des examens.

Quand elle s'est assise près de moi pour m'en prélever un peu, elle m'a demandé : « Qu'est-ce que tu as fait ces derniers temps ? » J'ai retiré mon T-shirt pour qu'elle puisse atteindre mon cathéter de Hickman. Un cathéter, c'est ce long tube très fin qui est planté dans ma poitrine. Ils l'utilisent pour me prendre du sang et me donner des trucs. Ce bidule est plutôt sans intérêt, mais c'est assez pénible parce qu'il est tout le temps là et qu'on ne peut même pas oublier qu'on est malade.

Je ne sais pas ce qu'Annie voulait que je lui réponde. J'ai repensé à tout ce qui était en train de se passer : ce livre, les choses qu'on avait commencé à faire avec Félix, mes questions, Papa disant que le Dr Bill s'était trompé et que, en fin de compte, j'allais peut-être aller mieux.

« Rien », ai-je répondu.

Après le départ d'Annie, l'atmosphère est restée un peu maussade. D'habitude, quand je saigne du nez ou que j'ai d'autres trucs dans le genre, on m'injecte des plaquettes — j'en reçois environ une fois par semaine — mais avant de me les donner, ils doivent faire des tests sur mon sang. Alors, en attendant les résultats, Maman, très en colère, a fait beaucoup de bruit avec la vaisselle et Papa est allé se réfugier tout au bout de la table, sans montrer qu'il était désolé. Au bout d'un moment, il est parti retrouver Maman dans la cuisine. Elsa et moi, on pouvait les entendre parler à voix basse, mais on n'arrivait pas à deviner s'ils étaient en train de se disputer ou de se réconcilier.

Et, c'est sûr, j'avais besoin de plaquettes. Les plaquettes sont jaunes et gluantes et arrivent dans une poche en plastique souple, comme pour le sang. On les accroche à une barre de métal* et elles rentrent dans mon corps par le cathéter. Les plaquettes servent à fabriquer les croûtes et empêchent que tout le sang coule quand on se coupe.

Voilà. C'est tout ce qu'on peut dire sur les plaquettes.

----
* On appelle ça un pied à perfusion. J'ai mon propre pied à perfusion avec plein d'autocollants de vampires dessus. On n'est pas vraiment attaché au pied à perfusion, mais c'est l'impression que ça donne.

L'espion français ou
Comment j'ai rencontré Félix

Vous vous souvenez ? Dès le début, je vous avais dit que je collectionnais les histoires. Les histoires vraies sont les meilleures. Voici une histoire vraie, celle de ma rencontre avec Félix.

Ça s'est passé l'année dernière, quand je suis resté à l'hôpital pendant six semaines entières. J'étais arrivé depuis à peine quelques jours quand je l'ai rencontré. C'était un soir et tout le service pédiatrique était baigné dans une atmosphère sombre de fin du jour. J'étais allongé sur mon lit, la porte ouverte pour pouvoir regarder dans le couloir. Il n'y avait pas grand-chose à voir, la plupart des gens étaient déjà rentrés chez eux. Je n'étais pas en train de lire ou de regarder la télévision, ni en train de jouer à la Game Boy. J'observais les reflets flous de la lumière sur le sol. Je m'ennuyais et je me sentais fatigué et lourd quand ce garçon est passé sur son fauteuil roulant.

Il était vraiment très maigre et un peu plus vieux que moi. Il portait un bas de survêtement, un T-shirt noir et un béret posé de travers. Ça lui donnait l'air d'un espion français ou d'un résistant.

Et puis surtout, il se comportait comme un espion. Il a roulé jusqu'au bureau des infirmières, au bout du couloir, puis il a jeté un rapide coup d'œil dedans avant de revenir dans mon couloir... et de recommencer. Il a dû trouver la route sûre parce qu'il a disparu vers la droite. Mais il est revenu à toute vitesse comme si une bande de nazis le poursuivait. Je me suis assis sur le lit en attendant que quelqu'un arrive derrière lui. Mais il n'y avait personne.

Je me suis dit qu'il faisait surtout du cinéma, parce qu'il n'avait pas du tout besoin de faire autant d'allers et retours juste pour jeter un œil au bout du couloir. Je me suis penché sur le lit en me demandant ce qu'il allait faire maintenant.

Il a tourné la tête et m'a vu en train de le regarder.

On s'est dévisagés à travers ma porte ouverte puis il a retiré son béret et s'est incliné devant moi, autant qu'il le pouvait dans son fauteuil. C'est là que j'ai vu qu'il avait perdu ses cheveux. J'ai donc compris qu'il avait un cancer. J'ai continué à le fixer jusqu'à ce que je me rende compte qu'il attendait que je fasse quelque chose. Je me suis donc incliné à mon tour, très sérieux. Puis je l'ai regardé rapidement pour voir ce qu'il allait inventer.

Il a mis son doigt sur ses lèvres pour que je ne parle pas. J'ai hoché la tête. Il m'a fait signe à son tour et a enfoncé son béret sur sa tête. Il m'a salué en posant deux doigts sur le béret comme pour me dire « À bientôt, camarade » ou quelque chose comme ça. Puis il a tourné et a foncé vers le bureau des infirmières.

Je suis resté assis sur mon lit. J'étais sûr que j'allais le revoir.

À peine trente secondes plus tard, il était de retour, à toute vitesse. Sauf que, cette fois-ci, il a foncé dans ma chambre. Il a cherché la poignée de la porte avec ses doigts et il l'a refermée en quatrième vitesse.

La porte a claqué assez fort.

Derrière, on a entendu le bruit d'un lit qui grinçait dans le couloir.

On est restés à se regarder, moi dans mon lit et lui dans son fauteuil.

Je me suis senti intimidé. Pas Félix. Félix n'est jamais timide. Moi je n'aurais jamais osé rentrer dans la chambre d'un autre enfant sans demander la permission, mais lui ça ne le dérangeait pas du tout.

« Pfiou », a-t-il soufflé en retirant son béret pour s'essuyer le front. Il n'était pas vraiment en sueur, mais il faisait ça pour le style. Maintenant qu'il était si près je pouvais voir ce qui était inscrit sur son T-shirt : « GREEN DAY american idiot » avec le dessin d'une main blanche en train de serrer un cœur rouge. Le T-shirt avait plein de lignes d'usure à force d'être trop souvent lavé.

« Pourquoi tu te caches ? » lui ai-je demandé.

« Je vais à la boutique. » Il a fouillé dans le sac en tissu fixé sur le côté de son fauteuil et en a sorti quelque chose, les doigts bien serrés pour qu'aucun parachutiste nazi égaré dans le couloir ne puisse voir ce que c'était. Un paquet de cigarettes !

« Où est-ce que tu as trouvé ça ? »

« Dans le distributeur du bar de mon oncle. Mais je n'en ai plus et j'en veux d'autres. » Il a remis délicatement le paquet vide dans sa poche. « Si j'arrive à me débarrasser d'elles. » De la tête, il m'a montré le bureau des infirmières. « Alors, peut-être que je pourrai trouver quelqu'un en bas pour m'en acheter. Tu sais, leur dire que ma dernière volonté sur Terre est de fumer une cigarette. »

Il m'a fait un grand sourire comme pour me défier d'ajouter quelque chose.

Je l'appréciais déjà.

J'ai affirmé : « Ça ne marchera pas. Tu ferais mieux de leur expliquer que tu as un vieil oncle très riche qui cherche un héritier et que sa dernière volonté est une cigarette. Les gens s'en fichent que des vieux oncles meurent d'avoir fumé trop de cigarettes, mais c'est pas pareil si c'est des enfants. »

Le garçon a eu l'air tout surpris. « Ça vaut quand même le coup d'essayer. Tu viens ? »

J'hésitais. « Pourquoi est-ce que tu as peur des infirmières ? » lui ai-je demandé. « Tout le monde s'en fiche que tu ailles au magasin, non ? »

Le garçon a tapoté son nez mystérieusement. « C'est pour les éloigner de notre odeur. Par exemple, imagine qu'elles sentent de la fumée dans ma chambre. Si je n'ai pas quitté l'étage, ça ne peut pas être moi, n'est-ce pas ? Comment j'aurais trouvé des cigarettes ? C'est forcément un visiteur ou quelqu'un d'autre. Tu vois ? »

Je voyais. Enfin, à peu près. En fait, je pensais qu'elles deviendraient encore plus méfiantes si elles le voyaient essayer de les éviter. Mais je savais aussi que ça n'avait aucune importance.

C'était un jeu. Les infirmières représentaient l'ennemi, nous, on était l'armée de la Résistance.

Dépasser le bureau des infirmières n'a pas été trop difficile. Il n'y en avait qu'une à l'intérieur à ce moment-là. Je lui ai dit que le garçon dans la chambre à côté de la mienne était en train de faire beaucoup de bruit, ce qui était vrai.

Dès qu'elle a disparu, Félix a crié : « On fonce ! », et on est partis à toute vitesse à travers le couloir, vers la liberté.

On s'est beaucoup amusés en essayant de persuader les gens d'acheter des cigarettes pour Félix. Il a commencé avec l'histoire du vieil oncle, mais personne ne l'a cru. Et quand il disait qu'il était mourant, les gens avaient l'air choqué et partaient tout de suite. On a donc dû imaginer d'autres tactiques.

J'ai raconté à une jolie dame avec deux petits enfants que ma sœur était en train de se faire opérer et que le chirurgien avait besoin de cigarettes pour empêcher ses mains de trembler. Mais elle s'est mise à rire et m'a conseillé de trouver un autre chirurgien.

Félix a expliqué à un vieux monsieur qu'il souffrait des symptômes du manque de cigarette, ce qui était particulièrement dangereux dans son état de faiblesse. C'était encore une erreur. Le vieux monsieur s'est mis à lui raconter ce qui lui était arrivé à lui quand il avait arrêté de fumer. Félix hochait la tête en faisant semblant d'être intéressé et le monsieur a poursuivi : « Ne crois pas ce qu'ils te disent. J'ai 95 ans. 95 ! »

Félix et moi, on se regardait en essayant de ne pas rire.

J'ai dit à un homme tout maigre avec une barbe que je faisais un exposé pour l'école pour déterminer le nombre de personnes qui fumeraient une cigarette au service de cancérologie. Il m'a conseillé d'utiliser un questionnaire.

Pour finir, Félix a raconté à une adolescente qu'un garçon dans le service de pédiatrie allait nous taper si on ne lui achetait pas de cigarettes. Je ne pense pas qu'elle l'a cru, mais elle lui a quand même acheté les cigarettes.

Après ce jour-là, Félix et moi on est devenus amis.

Le 16 janvier

Pourquoi Dieu rend-il les enfants malades?

Aujourd'hui, on a eu école chez Félix. Maman a donc pu aller voir une de ses amies toute la journée. Félix habite de l'autre côté de Middlesbrough, dans une petite maison qui sent le chien. Il a une grosse chienne toute plate appelée Daisy. Elle a la couleur d'un paillasson et elle a l'air à la fois endormi et étonné. Il y a toujours des poils de chien sur le lit de Félix, mais il s'en fiche.

Mademoiselle Willis nous a laissés jouer aux cartes Top Trumps au lieu de nous faire cours. Elle a dit que, si on nous le demandait, on n'avait qu'à dire que c'étaient des maths.

On a aussi réfléchi à ma nouvelle question en faisant une liste.

Mademoiselle Willis a commencé. « D'accord »,
a-t-elle dit quand je lui ai montré ma question.
« Pourquoi Dieu rend-il les enfants malades ? Qu'en
pensez-vous ? Combien de réponses allez-vous être
capables de trouver avant midi ? »

Félix a répondu : « Il n'existe pas, c'est évident.
Voilà pourquoi. »

J'ai protesté : « C'est pas une réponse, ça ! »

« Bien sûr que si ! » a repris Félix. « Il n'existe
peut-être pas. Allez, écris ça. »

J'ai écrit :

1. *Il n'existe pas.*

« Numéro 2… », ai-je commencé, mais Félix a
été plus rapide que moi.

« Numéro 2 », a-t-il dit, en se penchant en avant.
« Numéro 2 : il existe mais il cache qu'il est le diable.
Il aime torturer des petits enfants pour s'amuser. »

« Je ne vais pas marquer ça ! »

« Et pourquoi pas ? » a repris Félix. « C'est peut-
être vrai, et ne me dis pas que tu n'y as jamais pensé. »

Je n'ai pas répondu.

« Et voilà », dit Félix. « Écris : Numéro 2 — allez… »

2. *En fait, Dieu est le diable.*

« Maintenant on n'écrit plus que des réponses
gentilles », ai-je dit avec fermeté.

« Il n'y en a pas de gentilles ! », a repris Félix. « C'est impossible ! Si quelqu'un donne le cancer à des enfants, il ne le fait pas pour être gentil ! »

Il m'a fixé avec colère, comme si c'était ma faute.

J'ai réfléchi un moment puis j'ai écrit :

3. *Dieu est une sorte de grand médecin. Il rend les gens malades pour qu'ils soient meilleurs après, comme les docteurs qui donnent de la chimiothérapie aux gens pour les soigner. Dieu s'en fiche qu'on meure parce qu'on va aller au paradis et c'est là qu'il vit de toute façon.*

« C'est débile ! » s'est exclamé Félix en lisant par-dessus mon épaule.

Je me suis défendu : « C'est ce que pense ma mère. »

« Comment est-ce que ça pourrait te rendre meilleur d'avoir un cancer ? »

J'ai hésité : « Ben... Ça t'apprend des trucs. »

« Comme quoi ? »

« Ben... comme... » J'étais en train de patauger. « Comme ce qui est important dans la vie. Je sais pas, moi. On est tout excité quand on réussit à faire du vélo tout seul et... et puis aussi on réalise combien notre famille est importante. Ce genre de trucs, quoi. »

« Ça », dit Félix, « c'est le plus gros tas de conneries que j'aie jamais entendu. Dieu te filerait un cancer pour t'apprendre à quel point c'est bon de faire du vélo ? Tu ne peux pas écrire ça ici ! »

« Je l'ai déjà écrit. » J'ai levé les yeux. « Allez, pense à une autre raison. »

« Il n'y a pas d'autre raison. Ça arrive, c'est tout », a dit Félix.

4. *C'est comme ça, ça arrive, c'est tout.*

5. *Il y a une raison mais on est trop bêtes pour la comprendre.*

J'ai regardé Félix avec insistance et il s'est mis à rire.

« Pas très pédagogique, ton livre, hein ? » a-t-il dit. Mais on voyait qu'il s'amusait bien. « C'est une punition pour avoir été méchant. »

« Faux ! »

« Et pourquoi ? »

« C'est ce que disent les bouddhistes. Ils pensent que tout ce qui t'arrive dans cette vie est la conséquence de tout ce que tu as fait dans tes autres vies. On a peut-être été braqueurs de banques ou un truc du genre dans une autre vie et maintenant on le paye. Tu ne peux pas ne pas écrire ça ! Et si ton livre est publié ? Tous les enfants bouddhistes qui vont le lire seront en colère parce que, eux, ils sauront pourquoi tu es malade et que, toi, tu ne l'auras même pas écrit dedans. C'est de la discrimination ! »

« Les bouddhistes n'ont rien à voir avec Dieu. Les bouddhistes ne croient pas en Dieu, ils croient en… en Bouddha. »

« Les athées ne croient pas non plus en Dieu », a répondu Félix, « et pourtant leur réponse est la première de ta liste. »

J'ai hésité. Je ne pensais pas qu'on était malades parce qu'on avait fait quelque chose de mal, pas plus que je ne croyais qu'Hitler était devenu le chef de l'Allemagne pour le récompenser d'avoir fait quelque chose de bien. Mais Félix avait raison. Je ne pouvais pas ne pas écrire cette raison.

6. *On a fait quelque chose de terrible dans une autre vie et c'est notre châtiment.*

« Voilà ! » s'est exclamé Félix avec satisfaction. « Et ensuite ? »

Je n'ai rien répondu. Je réfléchissais à ce qu'avait dit Félix sur les enfants bouddhistes. Et si j'écrivais vraiment un livre ? Si oui, je ne veux pas que des enfants le lisent et se demandent si c'est leur faute s'ils sont malades, parce qu'ils ont fait quelque chose de mal dans une autre vie.

7. *On est déjà parfait. On n'a plus rien besoin d'apprendre. C'est un cadeau d'être malade. Un peu comme… un passe gratuit pour aller au paradis.*

« Un passe gratuit pour aller au paradis ! » s'est exclamé Félix.

« C'est pas aussi débile que ça en a l'air », lui ai-je expliqué. « Il y a très longtemps, quand les enfants mouraient tout le temps, on pensait : "Il était trop bon pour ce monde." Ou : "Dieu l'aimait tellement qu'il le voulait à ses côtés au Paradis." »

« N'importe quoi ! Je ne suis pas parfait. » Il a secoué la tête. « Si quelqu'un lit ton livre, il va te prendre pour un fou. D'abord tu écris que c'est une punition, puis tu dis que c'est une récompense pour avoir été bon ! »

« C'est seulement une liste ! » ai-je répondu. « Nos réponses ne sont pas toutes vraies en même temps ! »

Félix m'a fait une grimace.

« Pfff… gros naze… », lui ai-je dit.

Liste n° 4

Mes choses préférées :

1 - Animal préféré : le loup.
Détail réel : les loups ont leurs glandes
gustatives dans l'estomac, pas dans la bouche.
C'est pour ça qu'ils avalent leur nourriture
d'un coup.

2 - Film préféré : Le Seigneur des Anneaux.
J'ai aussi lu tout le livre quand j'étais malade
l'année dernière. Fait établi : le Mordor est
inspiré de Birmingham.

3 - Endroit préféré : High Strawberry,
la maison où on passait des vacances dans
le Lake District. Elle était pile sur la rive
du lac Windermere et il y avait un bateau.

4 - Jeu préféré : Warhammer.

5 - Blague préférée : Pourquoi le hérisson
a-t-il traversé la rue ? Pour montrer
à sa copine ce qu'il avait dans le bide.

6 - Moyen de transport préféré : les dirigeables.
Détail réel : si l'Empire State Building a
une pointe à son sommet, c'est pour qu'on puisse
y amarrer son dirigeable.

7 - Souvenir préféré : le jour où on est allés
faire du rafting en Allemagne pendant
les vacances, avant que je retombe malade.

Le 17 janvier
Déconseillé aux enfants

Après l'école, j'ai mangé une pizza avec Félix et sa mère. Ensuite, j'ai demandé à Félix : « Est-ce qu'on pourrait aller dans ta chambre ? » Il a beaucoup plus de CD que moi et aussi de super bons jeux.

Félix a secoué la tête. Il a mis la main contre sa bouche et pris sa voix de résistant français : « Allons dans la chambre de Mickey... On a moins de risques d'être dérangés là-bas. »

« Mais pourquoi... ? »

« Chut ! »

On dirait toujours que Félix manigance quelque chose. Il prend un air mystérieux, comme s'il savait quelque chose de plus que vous. C'est la tête qu'il avait à ce moment-là. Il ne me dirait rien tant qu'on ne serait pas arrivés dans la chambre de Mickey, ce qui nous a pris beaucoup de temps parce qu'il n'est pas très doué pour monter les escaliers. Mickey est le frère de Félix. Il travaille sur une plate-forme pétrolière pendant un mois, puis il a un mois de repos et ainsi de suite.

Quand on est enfin arrivés dans sa chambre, Félix a dit : « Voilà. Tu voulais bien regarder des films d'horreur ? »

« Oui », ai-je répondu prudemment.

« Eh ben regarde ! »

Il était assis sur le lit de son frère et a sorti quelque chose de sous l'oreiller qu'il m'a tendu d'un air triomphant.

« *L'Exorciste* ! »

Je le lui ai pris des mains. On s'est mis à lire le résumé avec envie.

« "Inspiré de faits réels..." »

« "*L'Exorciste* est déconseillé aux enfants... l'un des films les plus choquants et les plus captivants jamais réalisés." »

« Tu l'as vu, toi ? »

Félix a secoué la tête. « Je ne l'ai trouvé qu'hier. Mais c'est censé être le pire film de tous les temps. Il paraît que des gens s'évanouissaient dans les cinémas… Il y a une scène dans laquelle la tête de la fille tourne sur elle-même ! »

« Et qu'est-ce que ça a d'effrayant, ça ? »

« Je ne sais pas », a admis Félix. « Mais il est interdit aux moins de 18 ans, donc il doit être assez horrible. Et puis, si tu veux regarder un film d'horreur, c'est celui-ci qu'il faut voir. »

On a fermé la porte de Mickey et Félix a allumé le lecteur de DVD.

C'était terriblement ennuyeux. On attendait avec impatience que des monstres ou des démons, ou au moins quelque chose d'horrible apparaisse, mais on n'a rien vu. Il y a eu toute une partie qui semblait tirée d'*Indiana Jones*, sauf qu'il ne s'est rien passé, à part ce vieux type en train de creuser pour cacher des pièces d'or. On croyait que c'étaient au moins des pièces diaboliques possédées par le démon, mais même pas.

Après, le film est devenu compliqué. On a vu un long passage avec la petite fille et sa mère, mais il était mélangé à une histoire de prêtre qui n'avait rien à voir avec le reste. Tout ce qu'il faisait, c'était boire du whisky et venir voir la mère. Le truc le plus intéressant, c'est quand la fille joue avec un tableau de divination, mais, même ça, ça ne faisait pas vraiment peur.

Il n'est rien arrivé de très grave à la fille après qu'elle a utilisé le tableau de divination, mais on sentait qu'il allait se passer quelque chose. Il y a eu cette drôle de scène où elle se fait pipi dessus pendant une fête. Puis un long passage à l'hôpital qu'on n'a pas trop aimé, alors Félix a essayé de mettre en avance rapide pour trouver la scène de la tête qui tourne sur elle-même.

Je ne sais pas si ce qu'on a trouvé était le passage qui faisait s'évanouir les gens, mais c'était atroce. Il y avait une pièce où les rideaux claquaient, où les livres volaient partout et la petite fille était au milieu en train de se poignarder elle-même avec une croix. Il y avait du sang partout et elle hurlait des trucs horribles avec une voix qui n'était pas à elle, et puis son visage était devenu très bizarre et j'étais en train de me dire à quel point ça devait être terrible d'être à sa place et...

... et la mère de Félix est entrée dans la chambre.

La mère de Félix n'a pas voulu nous laisser regarder la suite. Félix lui a fait toute une crise en disant que, si on ne voyait pas la fin, on serait hantés pour toujours par l'enfant ensanglantée, mais elle n'a rien voulu savoir.

« Elle guérit », a-t-elle dit. « Point final. Maintenant filez exterminer quelques aliens ou ce que vous voulez. »

Au fond de moi, j'étais soulagé qu'on n'en regarde pas plus. Il y avait quelque chose que je n'aimais pas dans l'idée qu'on pouvait avoir quelqu'un à l'intérieur de nous qui nous faisait faire des trucs horribles. On a passé le reste de l'après-midi à jouer sur l'ordinateur de Félix. Mais, après ça, je n'ai pas arrêté de penser à ce qui était arrivé à la petite fille. Il y avait écrit : « Inspiré de faits réels » sur la boîte. Qu'est-ce que ça voulait dire ? Et si ça s'était vraiment passé ? Est-ce que ça pouvait vraiment arriver à n'importe qui ?

Cette histoire m'a inquiété tout l'après-midi et presque toute la soirée avant que Mamie me demande si j'allais bientôt arrêter de faire cette tête *par pitié*, parce que ça la rendait folle. Elle venait d'emmener Elsa chez les scouts et elle était restée discuter avec Maman. Mais Maman était allée répondre au téléphone.

« Dis-moi, Sam, est-ce que tu n'aurais pas encore fait une bêtise avec ce garçon ? » m'a interrogé Mamie.

« Non*. » Puis je lui ai demandé : « Est-ce que tu crois aux démons ? »

----
* Ce qui était vrai : la mère de Félix nous en avait empêchés.

« Aux démons ? Avec des cornes et des fourches ? »

« Non. Plutôt comme des… esprits diaboliques qui contrôlent les gens. »

« Non », a répondu Mamie. « C'est absolument n'importe quoi. »

« Mais tu crois aux fantômes et aux trucs comme ça », ai-je repris.

« Ça ne sert à rien d'inventer des démons pour se faire peur », a dit Mamie, très solennelle. « On a assez de raisons de s'inquiéter pour ne pas en inventer d'autres. »

« C'est vrai. Et de toute façon, j'avais pas vraiment peur. C'est juste que je me posais des questions. »

Quand on y réfléchit, ce n'était pas facile pour Mamie de me répondre. Mais après ça, je n'étais plus inquiet.

Ma vie à la clinique

Aujourd'hui, on est mardi. On n'a pas école le mardi parce que j'ai clinique. Félix ne va pas dans la même clinique que moi parce qu'il n'a pas de leucémie. Il va dans une autre, le jeudi. Je sais que je devrais raconter ce qui se passe à la clinique, mais je n'ai pas envie. Ce n'est vraiment pas très intéressant. On vous pèse, on vous mesure, on vous fait des prises de sang, on vous parle puis on vous donne des médicaments à prendre sur place et d'autres à prendre à la maison. Et voilà, c'est tout.

Je vois pourquoi Papa pense que je vais mieux, mais c'est juste parce que je prends de nouveaux médicaments. En fait, quand vous avez une leucémie, on vous donne de la chimiothérapie, et c'est du poison.

Ce n'est pas censé vous tuer, c'est censé tuer le cancer, mais ça vous rend quand même malade. Vos cheveux tombent, votre peau vous brûle et plein d'autres trucs. Donc c'est normal si je vais mieux puisque je n'en prends plus.

J'en ai pris deux fois. Papa voulait que j'en prenne encore, mais ils ont dit non.

La leucémie revient toujours. Ils pensent qu'ils l'ont soignée mais elle revient. Pas pour tout le monde. Fait réel : quatre-vingt-cinq pour cent de gens guérissent définitivement. Ça veut dire huit personnes et demie sur dix. Quatre-vingt-cinq sur cent. Huit cent cinquante sur mille.

Ça veut dire la plupart des gens.

Mais avec moi, elle revient toujours.

La leucémie est une sorte de cancer. Quand vous avez une leucémie, c'est que votre corps produit trop de globules blancs*. Les globules blancs sont votre propre armée de résistance privée. Ils combattent les infections et les autres attaques extérieures. Mais quand vous avez une leucémie, ils prennent le pouvoir

----
* Dans mon cas – j'ai une leucémie lymphoblastique aiguë – mon corps produit trop de lymphoblastes, qui sont des petits globules blancs. Mais le résultat est le même.

sur tout le reste et alors les autres cellules se font écraser et elles ne peuvent plus faire tout ce qu'elles sont censées faire. Donc, vous tombez malade. Du genre : on peut devenir très pâle, ou avoir plein de bleus ou le nez qui saigne sans s'arrêter, ou se sentir tout le temps fatigué.

Ça m'est arrivé trois fois, en comptant celle-ci. La première fois, j'avais 6 ans. Je suis resté un mois à l'hôpital sous chimiothérapie et après j'ai dû prendre des médicaments pendant super longtemps. Mais ils étaient sûrs de m'avoir guéri.

Elle est revenue quand j'avais 10 ans. C'est à ce moment-là que j'ai rencontré Félix. Ils m'ont aussi donné des médicaments de chimiothérapie et mes cheveux sont encore tombés, etc. Cette fois aussi, ils pensaient qu'ils m'avaient soigné. Enfin, en quelque sorte…

Ils ont dit des trucs comme : « On va attendre de voir ce qui se passe. » Ou : « Croisons les doigts. » Maman avait l'air inquiet et Papa n'a plus ouvert la bouche.

Maman et Papa sont assez doués pour être inquiets et silencieux. Et cette fois ils avaient raison. La leucémie est revenue. Après seulement deux mois et demi.

Capitaine Cassidy

Quand Papa est rentré du travail hier soir, il n'est pas allé lire son journal comme d'habitude. Il est venu me regarder travailler. J'étais en train de chercher des autocollants dans mon magazine *Warhammer* pour les coller dans mon livre.

« Est-ce que c'est encore le fameux grand projet pour l'école ? » m'a-t-il demandé. Il avait un drôle de sourire qui lui tordait les lèvres. Je pense qu'il comprenait que c'était plus qu'un simple projet.

J'ai hésité. Puis, même si je me rendais compte que ça avait l'air un peu bête, je lui ai répondu : « J'écris un livre. »

« Un livre ! » Papa a ouvert de grands yeux. « Moi aussi, j'ai essayé d'écrire un livre quand j'avais ton âge.

Ça s'appelait : *Capitaine Cassidy et le château maudit.* »

« Et qu'est-ce qui s'est passé ? » ai-je demandé. Papa s'est mis à rire.

« Je ne sais pas. Je n'ai jamais dépassé le premier chapitre. »

« J'écris un livre sur moi. »

Papa s'est arrêté de rire : « Un livre sur toi ? »

« Sur… le fait d'être malade. Et tout ça. »

« Ah… » Papa était silencieux. J'ai attendu qu'il ajoute quelque chose mais il n'a rien dit. J'ai penché la tête sur le magazine. Le silence s'est étiré de plus en plus, lentement, puis, tout à coup, j'ai entendu sa chaise grincer. J'ai aussitôt levé la tête, mais il était déjà parti.

Je pensais qu'on en resterait là, mais j'avais tort. Aujourd'hui, quand il est rentré du travail, il avait un cadeau pour moi. C'était un classeur Spiderman avec un paquet de feuilles spéciales pour mettre des photos et du papier recyclé.

« Pour ton livre », a-t-il dit.

« Merci. Merci, c'est… merci. »

« De rien. » Il s'est assis dans son fauteuil et a ouvert son journal. Puis il l'a rabaissé de nouveau : «Juste une question », a-t-il repris. « Tu n'es pas en train d'écrire un livre niaiseux avec plein de poèmes, de photos et d'arcs-en-ciel, au moins ? »

« Non. » Je n'étais pas sûr de voir de quel genre de livre il parlait, mais ça n'avait pas l'air de ressembler au mien. « Rien à voir. »

« C'est bon, alors », a dit Papa en ouvrant de nouveau son journal.

Le Dr Bill

Quand ma leucémie est revenue pour la troisième fois, on a dû aller voir le Dr Bill pour en parler. C'est un pédiatre oncologiste, ce qui veut dire cancérologue pour les enfants. Il porte un foulard rouge avec des points blancs sur la tête, comme un pirate. Il le porte pour que les enfants qui ont perdu leurs cheveux ne se sentent pas mal à l'aise. Son vrai nom est Dr William Sancu, mais personne ne l'appelle jamais comme ça.

Il dit toujours : « Comment est-ce que je pourrais travailler avec vous tous avec un nom comme Dr Sancu ? » Et après tout le monde rigole. On l'appelle donc Dr Bill.

Papa voulait qu'on me donne plus de médicaments, mais le Dr Bill a dit qu'il ne pensait pas que ça marcherait parce que je n'avais pas repris assez de forces depuis le dernier traitement. Il a dit que c'était trop dangereux.

« Est-ce qu'on ne pourrait pas essayer quand même ? » a demandé Papa, et le Dr Bill a pincé les lèvres.

Il a répondu : « On pourrait. Mais cela voudrait dire passer encore beaucoup de temps à l'hôpital. Et comme ça n'a pas fonctionné cette fois… »

Je savais ce que ça voulait dire. Je devrais prendre encore tous ces médicaments et être encore malade, mais, cette fois, ils savaient déjà que ça n'allait pas marcher.

J'ai dit : « Je n'en veux pas. C'est du poison. »

« C'est du poison qui guérit », a expliqué Papa.

Mais le Dr Bill a secoué la tête. « Pas cette fois. »

Donc, maintenant, je prends des médicaments différents. C'est toujours de la chimiothérapie, mais ce n'est pas la sorte qui rend malade ou qui fait tomber les cheveux. Ce n'est pas censé vous soigner mais juste empêcher votre état d'empirer. Même si je me sens toujours fatigué et que j'ai encore le nez qui saigne et tous les autres trucs.

Le Dr Bill nous a expliqué que ces nouveaux médicaments pouvaient fonctionner longtemps.

On peut vivre encore toute une année, voire plus. J'ai déjà passé quatre mois.

Un an, c'est long.

Plein de choses peuvent arriver en un an.

Le 22 janvier

Les escalators

Prendre les escalators à l'envers est une idée plutôt stupide pour une dernière volonté.

Mais en même temps, ça faisait très longtemps que j'avais envie de le faire. Depuis que j'avais lu ce livre dans lequel un chien y arrive. Je ne me rappelle plus très bien, mais je crois que c'était un chien magique. Et c'était pas comme s'il ne savait pas quel était le bon sens pour prendre l'escalator. Non, il l'a fait comme un défi. Parce que c'était cool. Et depuis j'avais envie de le faire aussi. Vous comprenez ?

Ça a l'air d'un vœu facile à réaliser, comme ça, mais en fait c'est tout le contraire. Déjà, je n'ai pas le droit d'aller en ville tout seul. Et puis comment j'expliquerai ça à Maman ? « Ah bon ? C'est l'escalator qui descend ? Je croyais que c'était celui qui montait. Je me demandais pourquoi il mettait aussi longtemps à arriver en haut. »

Elle penserait que je suis fou.

Peut-être que je le suis, mais je veux réaliser ce vœu.

Depuis que j'ai écrit la liste, je suis déjà allé une ou deux fois en ville avec Maman. À chaque fois, j'ai cru que j'allais le faire et, au dernier moment, j'ai eu la trouille. J'ai même pensé demander à Mickey de nous conduire, Félix et moi, au centre commercial la prochaine fois qu'il viendrait à la maison. Mais aujourd'hui, Maman m'a emmené chez le dentiste* et après on a déjeuné dans le centre commercial. Il était presque vide... et il y avait deux escalators.

Un pour monter.

Et un pour descendre.

Pendant tout le déjeuner, je n'ai pas arrêté d'y penser. Félix a raison. C'est pas la peine de faire des vœux si on n'essaye même pas de les réaliser. Ceux qui sont possibles, au moins. Prendre un escalator à l'envers... c'est pas très difficile, n'est-ce pas ? Battre

---

* Je vais chez un dentiste spécial parce que la chimiothérapie fait des trucs bizarres aux dents.

un record du monde, ça c'est dur. Et on a réussi.

J'ai regardé Maman. Elle était inquiète et elle en faisait trop, comme d'habitude.

« Sam. Sam ! Tu te sens bien ? Tu n'as pas fini ton sandwich. » Elle m'a observé avec attention. « Tu n'es pas trop fatigué, au moins ? »

« Je ne suis pas fatigué du tout », ai-je répondu. Je me suis levé. « Je vais aux toilettes. »

Je suis sorti du café et j'ai marché tout droit vers les escalators. J'avais décidé que j'allais remonter celui qui descendait. Je suis allé tout de suite en bas et je suis resté là, à regarder vers le haut. Ils emmenaient les gens depuis le dernier étage jusqu'à une sorte de place où l'on trouvait un boulanger, le stand d'une association caritative et d'autres petites boutiques. Il n'y avait pas beaucoup de monde, mais quand même un petit peu.

Depuis que j'étais sorti du café, j'étais de plus en plus nerveux. J'avais l'impression que mon cœur avait gonflé jusqu'à ce qu'il vienne se coincer juste sous ma gorge. J'aurais voulu être aussi fort qu'avant ma maladie. Et si je n'y arrivais pas ? J'aurais vraiment l'air d'un idiot. Et qu'est-ce qui se passerait si les gens se mettaient à me crier dessus parce que je faisais l'imbécile sur une propriété du centre commercial. Et s'il y avait des agents de sécurité cachés quelque part ?

Je suis allé regarder dans la vitrine d'une boutique. « C'est stupide », ai-je pensé. « C'est un vœu facile ! Tu ne peux pas ne pas le faire ! » Et je suis revenu sur mes pas. Il n'y avait personne sur l'escalator qui descendait. Avant de me remettre à réfléchir, j'ai posé ma main sur la rampe et je me suis avancé.

J'avais un peu peur de monter les marches, mais je n'avais pas pensé au démarrage, quand le sol s'avance très vite vers soi. Dès que j'ai eu posé mon pied dessus, je me suis senti poussé en arrière. Mais je n'ai pas eu le temps de m'inquiéter : j'ai fait un autre pas vers l'avant et… oui ! C'était bon ! Je grimpais les marches !

Ce n'était pas si dur que ça, mais c'était bizarre parce que je courais presque, enfin, c'est l'impression que j'avais, et donc j'aurais dû monter de plus en plus haut, sauf que, bien sûr, comme les marches descendaient en face de moi, ça ne se passait pas tout à fait comme ça. Mais, à la fin, j'ai réussi à remonter l'escalator. Lentement. J'ai commencé à respirer avec difficulté mais je n'osais pas m'arrêter. Je ne pouvais pas non plus regarder vers le haut pour ne pas tomber. Pourtant, je voyais le sommet de l'escalator se rapprocher. Soudain, je n'ai plus su quoi faire. Mes pieds étaient tellement habitués à monter que j'ai eu peur qu'ils ne puissent plus avancer sur le plat. Mais je ne pouvais pas m'arrêter maintenant, alors que j'étais arrivé en haut.

J'ai fait le plus grand pas possible et je suis tombé. Pourtant, je me sentais bien. Mes mains et un de mes pieds étaient posés sur le sol plat et immobile du sommet. J'ai rampé vers l'avant, éraflé et étourdi mais triomphant. Je l'avais fait ! Et personne ne m'avait arrêté !

Tout en haut, il y avait une vieille dame qui attendait de pouvoir descendre.

Elle m'a dit : « C'est plus rapide si tu prends l'autre, mon petit. »

« Oui, je sais. » Je lui ai jeté un coup d'œil. Elle souriait.

« C'était une sorte de pari, n'est-ce pas ? » m'a-t-elle demandé.

« Oui. On peut dire ça… »

QUESTIONS AUXQUELLES
PERSONNE NE RÉPOND JAMAIS

n°3

Qu'est-ce qu'il se passerait
si quelqu'un n'était pas vraiment mort
alors que tout le monde pense qu'il l'est ?
Est-ce qu'on l'enterrerait vivant ?

Scène de mort

« Comment est-ce que tu vas mourir ? » m'a demandé Félix.

Je l'ai regardé. C'était après l'école et il attendait que sa mère vienne le chercher. J'étais en train de peindre un des nains Warhammer qu'une amie de Maman m'avait acheté. Félix était censé me donner un coup de main mais il s'était vite ennuyé et, à la place, il jouait avec le chat.

« Tu sais bien… », ai-je dit.

Il a fait une grimace. Puis il a continué : « Non, je veux dire, dans ton livre… ». Il était encore tout agité parce que Mademoiselle Willis avait apporté un générateur Van de Graaff[1] pour le cours et on avait joué avec

----

1. Appareil de démonstration très simple qui permet de créer de l'électricité statique, celle qu'on ressent parfois en touchant une voiture quand on porte un pull en laine, par exemple. *(N.d.T.)*

l'électricité statique. « Tu peux pas t'arrêter comme ça d'un coup. Les gens vont se demander ce qui t'est arrivé. Tu devrais demander à ta mère de s'asseoir près de ton lit avec un dictaphone. "Comment te sens-tu maintenant, Sam ?" "Je vois une lumière… je m'avance vers la lumière… Il y a plein de types louches avec des ailes et des auréoles qui volent tout autour de moi…" »

« La ferme », ai-je répondu. D'habitude, Félix ne parle jamais comme ça. Je n'étais pas sûr d'aimer. Je préférais le Félix qui continuait comme si tout était normal, à part quelques petits détails comme le fait d'être dans un fauteuil roulant ou de ne pas aller à l'école. Mais il a fait comme s'il n'avait rien entendu.

« Tu pourrais l'écrire à l'avance », a-t-il repris. « "Ma mort a été un moment très triste. Tout le monde a pleuré. J'ai fait un long discours pour expliquer combien tout allait me manquer et comment j'allais regarder le monde depuis mon nuage là-haut. Et tous ont raconté à quel point j'étais un enfant merveilleux, et…" »

Je lui ai lancé un orc. Il l'a esquivé en riant. Colombus s'est mis à miauler.

« Je sais ! » a-t-il repris. « Tu devrais demander au Dr Bill de te permettre d'observer quelqu'un d'autre en train de mourir, comme pour une expérience scientifique, et ensuite faire comme si c'était toi. Après, tu pourrais mettre le nom du mort et celui du docteur dans tes remerciements… »

« Mes quoi ? »

« La partie où tu remercies tout le monde de t'avoir aidé. Tu sais : "Je remercie Mademoiselle Willis de m'avoir donné cette idée et Félix Stranger pour toutes celles que je lui ai volées sans remords. Et aussi Johnny Machintruc, ou je ne sais pas qui, pour m'avoir laissé prendre des notes pendant qu'il faisait le grand saut." »

« T'es malade ! Tu laisserais un gamin prendre des notes alors que t'es en train de mourir, toi ? »

Félix portait de nouveau son chapeau en feutre. Il l'a mis sur l'avant, de façon qu'il lui couvre les yeux. « Je m'en ficherais », m'a-t-il répondu.

« Parce qu'il n'y aura personne à côté de moi ce jour-là. »

« C'est pas toi qui vas décider ça, mon vieux. Et puis il y aura au moins ta mère. »

Félix a secoué la tête. Le chapeau lui couvrait toujours les yeux. « Tu peux venir prendre des notes si tu veux, mais je ne veux pas que ma mère soit là. Elle détesterait ça. »

Il semblait si sûr de lui que je n'ai pas su quoi lui répondre.

« De toute façon, je ne vais pas écrire une scène de mort », ai-je repris, mal à l'aise. J'avais réfléchi au problème pendant qu'il parlait. « Tout le reste du livre est vrai, c'est ça l'intérêt. Mais les gens sauront que je n'ai pas pu écrire la dernière partie, donc ils comprendront que je l'ai inventée. »

« Et alors ? » a dit Félix.

Il a redressé son chapeau et est réapparu d'un coup en disant :

« Hé ! Je sais ! Ce que tu veux, c'est laisser une série de phrases à choisir pour terminer le livre, comme dans un questionnaire. C'est ça, hein ? Tu sais, un peu comme tes listes débiles :

1. *La mort de Sam a été*
   - *a. Calme.*
   - *b. Horrible, terriblement douloureuse.*
   - *c. Un peu entre les deux.*
   - *d. Aucune idée : on était en train de manger des frites à la brasserie.*
   - *e. Autre, spécifiez SVP.*

Et comme ça ils pourraient terminer eux-mêmes les phrases. »

Je me suis exclamé : « T'es vraiment taré ! »
mais je rigolais en pensant à Maman et Papa en train
de remplir le questionnaire de Félix.

« C'est une idée de génie », a-t-il repris. « Ce sera
la scène de mort la plus scientifique de l'Histoire.
Et après, quand ton livre sera publié, j'empocherai
tous les droits d'auteur parce qu'à ce moment-là je
l'aurai écrit presque en entier, et je partirai pour une
croisière dans les Caraïbes avec tout cet argent. » Il
s'est mis à fouiller dans la poche sur le côté de son fauteuil pour trouver un stylo-bille. « Allez, Charles
Dickens, écris ça. Numéro 2... »

L'histoire des pas de Grand-Père

Voici une autre histoire vraie. Du moins, c'est Mamie qui dit que c'est vrai et elle ne ment jamais. Enfin, presque jamais. Ma Mamie et mon Grand-Père se sont rencontrés pendant la guerre. Il était objecteur de conscience, ce qui veut dire qu'il avait refusé de s'engager dans l'armée et de tuer des gens. À la place, il était parti travailler dans une ferme. À l'époque, Mamie avait quatorze ans et elle vivait à la ferme à cause des bombes et c'est comme ça qu'ils se sont rencontrés. Je ne me souviens pas de lui, mais j'ai vu des photos. Mamie dit qu'il ressemblait à Maman, à part la barbe et la pipe.

Il est mort d'un seul coup d'une crise cardiaque, juste après la naissance d'Elsa. Il s'était levé un matin en pleine forme et le soir il était mort.

Tout le monde a été très choqué. Mamie raconte que, le lendemain, il y a eu toute la journée du monde dans la maison : Maman et Papa et nous et l'oncle Douglas et des voisins et plein d'autres gens. Et tout le monde s'agitait pour faire du thé en discutant. Ils ne l'ont laissée seule que le soir, toute seule dans le grand lit où elle et Grand-Père avaient dormi ensemble toutes les nuits depuis ses 16 ans.

Elle avait pensé qu'elle ne dormirait pas mais elle avait dû finir par s'endormir parce qu'elle a fait un rêve. Sauf qu'elle ne sait pas si c'était vraiment un rêve parce que tout semblait tellement réel. Elle raconte que Grand-Père est venu dans la chambre et s'est assis au bord du lit pour lui parler. Il lui a dit qu'il était désolé et qu'il ne voulait pas la laisser mais qu'il devait partir, et qu'il ne fallait pas qu'elle s'inquiète ou qu'elle soit triste parce qu'il se sentait bien. Elle a dit qu'elle a pleuré et qu'elle lui a demandé de rester, mais il lui répétait qu'il devait partir et à la fin il l'a laissée.

Mamie était encore triste, bien sûr. Et elle n'aimait pas vivre toute seule. Mais elle dit que quand elle se sentait très malheureuse, elle arrivait encore à sentir l'odeur de la pipe de Grand-Père, comme s'il était toujours là, à prendre soin d'elle.

« Est-ce que tu l'as revu ? » lui ai-je demandé.

« Non. Mais un jour, quand vous avez tous les deux passé la nuit ici, ta sœur s'est tournée vers moi —je la revois aussi bien que je te vois— et elle m'a demandé : "C'est qui ce monsieur avec une barbe ?" Elle n'avait pas plus de deux ou trois ans. »

« Et est-ce qu'il y avait quelqu'un ? » ai-je demandé.

« Non, rien que l'odeur de la pipe de ton grand-père. »

Elsa avait donc vu un fantôme. Mais elle ne s'en souvient pas. Maman, elle, a entendu un fantôme. Parce que quand je suis tombé malade pour la deuxième fois et que tout le monde était si inquiet pour moi, Mamie a entendu des pas dans son couloir. Au début, elle croyait que c'étaient des voleurs, mais quand elle a regardé dans le couloir, il n'y avait personne. Elle a donc pensé qu'elle avait tout imaginé, mais ensuite, Maman a passé une nuit chez elle et elle les a entendus elle aussi. Donc Mamie pense que c'est Grand-Père qui lui faisait comprendre qu'il était là quand elle s'inquiétait pour moi.

Les scientifiques diraient que rien de tout ça ne prouve que les fantômes existent. Ce sont des preuves de circonstance, ce qui veut dire des preuves qui montrent qu'il est possible que ces choses existent mais qui ne les prouvent pas scientifiquement. C'est exactement le cas de l'histoire de Mamie. Normal, Elsa n'avait même pas 3 ans. L'homme à la barbe aurait pu être une photo, un dessin ou une drôle de tache sur le papier peint. Et Mamie aurait pu imaginer l'odeur de pipe ou sentir celle de quelqu'un dans la rue. Et peut-être que les bruits de pas n'étaient que des lattes de parquet qui grinçaient. Mais quand on regroupe toutes ces preuves, on peut commencer à penser que les fantômes existent bel et bien.

J'ai demandé à Mamie si les bruits de pas de Grand-Père étaient revenus quand je suis tombé malade cette fois-ci, mais elle m'a répondu qu'elle n'avait pas eu de signes de lui depuis un bon moment.

« Il pense sans doute que je suis assez vieille pour me débrouiller toute seule maintenant. Ou peut-être qu'il est parti ailleurs. Je ne pense pas qu'il veuille passer l'éternité à baby-sitter une vieille branche comme moi. »

Résultat, je ne sais pas ce que je crois. Moi non plus, je n'aurais pas envie de passer l'éternité à être un fantôme. Mais ça m'a fait réfléchir. Et ce que je pense c'est que, si j'étais Grand-Père, je viendrais nous rendre visite moi aussi.

Marianne et moi

On a encore eu classe aujourd'hui. J'ai montré mon histoire *Les Pas de Grand-Père* à Mademoiselle Willis et elle nous a raconté des histoires de fantômes. Il y en avait une sur deux dames qui s'étaient perdues dans les jardins du château de Versailles, qui est l'endroit où habitait l'ancienne famille royale de France avant que les révolutionnaires leur coupent la tête. Les deux dames ont raconté qu'elles avaient remonté le temps jusqu'à l'époque où la reine Marie-Antoinette vivait là. Il y avait tous ces gens vêtus d'habits anciens qui parlaient français. Félix dit qu'elles s'étaient sûrement perdues au milieu d'une fête d'école où tout le monde devait se déguiser en rois et en reines, mais Mademoiselle Willis a dit non, parce que le jardin et l'ambiance étaient très différents.

J'ai dit qu'elles auraient dû prévenir Marie-Antoinette que les révolutionnaires allaient venir lui couper la tête. Si elles l'avaient convaincue de se cacher, par exemple dans un buisson, elles auraient changé le cours de l'Histoire à jamais.

« Mais pourquoi s'en faire ? » m'a demandé Mademoiselle Willis. « La monarchie, ça ne sert à rien ! Coupons-leur tous la tête, voilà ce que j'en pense. »

En secret, Mademoiselle Willis est une vraie révolutionnaire.

Après son départ, Félix m'a demandé : « Tu crois pas qu'on devrait essayer un autre défi de ta liste ? Pourquoi pas "Voir un fantôme" ? »

« Et comment on ferait ? » ai-je répondu. J'avais déjà décidé que celui-ci était « sans doute impossible » (pas comme conduire un dirigeable, par exemple, qui était « possible mais très difficile »). « Qu'est-ce que tu veux faire ? Aller dans une maison hantée et prendre un air plein d'espoir ? »

Dans les livres, les enfants n'ont jamais de mal à trouver des maisons hantées, mais il n'y en a pas dans le coin.

Félix s'est tapoté le nez et il a pris un air mystérieux.

« Laisse-moi faire. Mais on va d'abord aller dans ta chambre. Il vaut mieux éviter que ta mère nous trouve. »

Félix n'a plus dit un mot avant qu'on ait fermé la porte de ma chambre. Il a pris alors une drôle de voix et il m'a demandé : « Est-ce que tu as déjà fait du spiritisme ? »

Jamais. Ma mère déteste ce genre de trucs. Elle dit toujours qu'on ne devrait pas s'occuper des choses qu'on ne comprend pas. Je l'ai dit à Félix qui m'a répondu : « Elle va bien à l'église, non ? Et qu'est-ce que c'est sinon s'occuper de quelque chose qu'on ne comprend pas ? »

J'hésitais. Je ne pouvais pas m'empêcher de penser à *L'Exorciste* même si je savais bien que ce n'était sans doute pas vraiment un film très scientifique.

Félix a repris : « Allez ! Tu veux rencontrer un fantôme, oui ou non ? Et comment on va en faire venir un, sans ça ? »

Donc, on a essayé.

Félix savait exactement quoi faire.

Il a pris mon carnet de notes et a dessiné dessus un tableau de divination avec des feutres rouges et noirs. Il a inscrit toutes les lettres de l'alphabet dans un grand cercle et les chiffres de un à neuf dans un petit cercle au centre du grand.

Puis il a écrit OUI et NON dans deux des coins de la feuille.

« Voilà ! » Il a observé ma chambre. « Maintenant, il faut qu'on crée une vraie atmosphère sombre et lugubre. »

On est allés dans la cuisine pour y prendre un paquet de bougies, des allumettes et une grosse lampe de poche.

« Ils utilisent aussi une sorte de voile », a repris Félix.

« Des voilages ! »

J'étais en train de m'agenouiller devant le buffet pour prendre les voilages quand Elsa est entrée dans la cuisine. Elle nous a fixés avec de grands yeux.

« Mais qu'est-ce que vous faites ? »

« Tu veux jouer avec nous ? » a répondu Félix.

« On fabrique une maison de poupée. »

Elsa n'est pas bête. « Ça m'étonnerait. »

Alors je lui ai dit : « On fait des recherches. Pour mon livre. »

Elsa a fait une drôle de tête. Elle n'était pas sûre qu'on veuille la laisser participer, mais elle savait aussi qu'on n'avait sûrement pas le droit de faire ce qu'on était en train de faire.

« On va appeler un fantôme », a dit Félix. « Un

vrai fantôme gigantesque qui dégouline de sang. Tu veux le voir ? »

S'il pensait que ça allait lui faire peur, il avait bien tort.

« Oh oui ! Je veux jouer avec vous ! »

« Je ne sais pas trop… » Il m'a fait une grimace. Elsa ne lui a pas laissé le temps de répondre.

« Je veux jouer avec vous ! Sinon, je dis tout à Maman ! »

Félix adore avoir un public. Il lui a dit d'aller mettre sa robe de demoiselle d'honneur parce que, d'après lui, il y a toujours des filles en blanc pendant les séances. Pendant son absence, on a installé toutes les bougies dans des soucoupes tout autour de la pièce et on a tiré les rideaux.

Il n'était que quatre heures de l'après-midi et il ne faisait donc pas tout à fait noir. Elsa et moi, on s'est assis sur le lit avec le carnet entre nous deux. Félix a poussé sa chaise contre le lit et nous a enveloppés complètement dans le voilage. Avec les lumières qui tremblotaient sur les murs, on avait l'impression d'être dans une tente, et ça faisait un peu peur. Félix a allumé la lampe de poche et l'a mise sous son menton. Ça a créé des ombres noires qui bondissaient sur ses joues.

« Bienvenue dans la fosse de la destruction ! »

a-t-il déclaré d'une voix qui se voulait lugubre.

Le principe du tableau de divination est de placer une pièce ou un verre au milieu d'une feuille de papier. Ensuite, chacun pose un doigt sur le verre ou sur la pièce et, si un esprit est présent, il les fait bouger en direction des lettres pour composer des mots.

J'ai demandé : « Et pourquoi est-ce qu'on a besoin de poser nos doigts si ce sont les esprits qui font bouger la pièce ? »

« Tu le fais, c'est tout », m'a répondu Félix. « Sinon, ça ne marche pas. »

Aucun de nous n'avait une pièce et on ne voulait pas quitter la tente pour aller chercher un verre, on a donc utilisé un crocodile Haribo à la place. On a tous posé un doigt dessus et Félix a demandé :

« Est-ce qu'il y a quelqu'un ? »

Il ne s'est d'abord rien passé mais, tout à coup, le bonbon s'est mis à bouger.

O-U-I.

Elsa a poussé un cri.

J'ai dit à Félix : « C'est toi qui as fait ça ! »

« Non, c'est pas moi ! » a protesté Félix qui a ajouté, avant que j'aie pu discuter : « Comment vous appelez-vous ? »

« M-A-R-I-A-N-N-E », ai-je lu en suivant des

yeux le crocodile Haribo qui bougeait sur le tableau de divination. « Marianne ! »

« Marianne comment ? »

« T-W-A-N-E-T. Laisse tomber ! » me suis-je exclamé. « Ça ne s'écrit pas du tout comme ça, Marie-Antoinette. »

« Qui c'est ? » a demandé Elsa. « Qui c'est ? Sam ? »

« C'est sûrement un esprit malfaisant », a ajouté Félix, hyper sérieux. « Ou alors elle ne sait pas épeler son nom. Êtes-vous la reine de France ? »

O-U-I.

« Est-ce que c'est toi qui le fais bouger ? » a demandé Elsa, pas rassurée. « Mais comment ça bouge ? »

« C'est le pouvoir des morts-vivants », lui a répondu Félix. « Tu peux poser une question si tu veux. »

« Non, je n'ai pas du tout envie », a dit Elsa. Elle m'a regardé. Félix aussi s'est tourné vers moi.

« Pourquoi est-ce que je devrais trouver quelque chose à dire ? »

« C'est toi celui qui pose toujours plein de questions. »

« Mais pas pour les morts ! »

« Elle pourrait écrire tout ton projet à ta place », a repris Félix.

J'ai soupiré : « Ça va... Bon alors, ça fait quoi d'être mort ? »

« O-N-S'E-N-N-U-I-E. » C'était maintenant au tour d'Elsa de lire les lettres une à une. « Qu'est-ce que vous faites toute la journée ? » a-t-elle ajouté, sur un ton de défi.

« J-E-B-O-I-S-E-T »

« Félix ! »

« J-E-M-A-N-G-E-D-E-S-G-A-T-E-A-U-X Elle dit qu'elle mange des gâteaux ! »

« Arrête de faire n'importe quoi avec ce truc ! »

« Je ne fais pas n'importe quoi ! » a protesté Félix. « Regarde, on n'a qu'à lui poser des questions sur nous. Est-ce que Sam va réussir à terminer son livre ? »

J'ai alors décidé que c'était mon tour de faire bouger le bonbon.

« E-V-I-D-E-M-. »

Félix (ou l'esprit de Marianne Twanet) essayait de le pousser vers le NON. J'ai résisté.

Et j'ai gagné.

O-U-I.

« Comment elle peut savoir ça ? » Elsa fixait le tableau, les yeux grands ouverts.

« Elle sait tout », ai-je répondu, triomphant.

Faits réels sur les cercueils :

Au dix-huitième et au dix-neuvième siècle,
les gens avaient très peur d'être enterrés vivants.
Pour résoudre ce problème, des savants ont
inventé des cercueils sécurisés pour que ceux
qui seraient enterrés vivants par erreur puissent
appeler à l'aide le monde extérieur.

En 1822, le Dr Adolf Gutsmuth a conçu
un cercueil avec un tube pour laisser passer
l'air et la nourriture. Pour prouver que ça
fonctionnait, il s'est fait enterrer vivant.
Il a pris un repas fait d'une soupe, de bière et
de saucisses par le tube avant que son assistant
le sorte du trou.

Le Dr Johann Gottfried Taberger a inventé un cercueil muni d'une cloche qu'on pouvait faire sonner à l'aide de cordes et d'un long tuyau. Les cordes étaient attachées aux mains, aux pieds et à la tête de la personne. Le tube était aussi muni d'un filet pour empêcher que des insectes lui descendent dans la bouche et il y avait un petit toit pour que la pluie ne lui tombe pas dessus.

Franz Vester a construit une sorte de grosse cheminée carrée qui se plaçait au-dessus du cercueil. À l'intérieur, il y avait une échelle, une cloche et une corde. Si la personne dans le cercueil était vivante et se réveillait, elle pouvait grimper à l'échelle et s'échapper. Si elle n'avait pas assez de force pour bouger, elle pouvait appeler à l'aide grâce à la cloche. Et si elle était vraiment morte, on retirait la cheminée et après, on pouvait la réutiliser.

Aujourd'hui, les médecins ont des stéthoscopes, des électrocardiogrammes et tout et tout. C'est donc assez facile de dire si quelqu'un est vraiment mort. Pourtant, des gens continuent à inventer des cercueils sécurisés. En 1995, Fabrizio Caselli a construit un cercueil high-tech ultra-moderne. Pour être bien certain que personne ne pourrait être enterré vivant dedans, il avait installé tout un équipement de survie : une alarme, une lampe de poche, une bouteille d'oxygène, un micro et un écouteur, un cardiofréquencemètre et un stimulateur cardiaque.

Le 30 janvier
Les visites

Aujourd'hui, trois de mes tantes sont venues me voir. Il y a beaucoup de gens qui nous rendent visite en ce moment. Papa est allé se cacher dans son bureau et Elsa a joué avec ma cousine Kiara, mais moi, j'ai dû rester assis et faire des politesses parce que mes tantes sont censées être venues de loin pour me voir. Le problème, c'est qu'elles ne sont pas vraiment venues me voir, sinon, on aurait fait quelque chose d'amusant. On aurait essayé l'avion télécommandé que m'a donné tante Sarah* ou on aurait joué au jeu vidéo

----

*Tante Sarah a aussi offert à Elsa une boîte entière de Playmobil, ce qui est une bonne idée parce que, sinon, elle râle en disant qu'elle ne reçoit jamais rien. On nous offre plein de trucs quand on est malade, mais ça ne marche pas si on est seulement la sœur d'un malade.

que m'a offert tante Caroline. Mais non. À la place, j'ai dû rester assis à les écouter jacasser encore et encore et boire du thé.

Ce n'était pas un moment très intéressant.

Elles ont demandé à Maman : « Comment vas-tu ? »

Et elle a répondu : « Oh, vous savez, on fait du mieux qu'on peut. »

Et puis elles m'ont demandé : « Et toi, comment vas-tu ? »

Et j'ai répondu : « Bien. »

Puis elles ont passé trois heures à parler du rôle que joue mon cousin Pete dans une pièce de théâtre et de l'eczéma de ma tante Sarah, qui s'améliore depuis qu'elle achète des légumes bio.

Après leur départ, Papa est descendu de son bureau et a trouvé Maman en train de fixer le bac à légumes du frigo.

« C'est une tomate », lui a-t-il expliqué. Elle n'a pas répondu. « Pas une de mes sœurs. »

« Tu crois qu'on devrait se mettre à acheter de la nourriture bio ? » a demandé Maman.

« Quoi ? » a répondu Papa.

« De la nourriture bio. Ce serait peut-être plus sain. Pour Sam et pour nous tous. »

« Je ne pense pas que ça ferait la moindre différence », l'a coupée Papa. Il a pris la tomate des mains de Maman et l'a posée sur la table. « Pourquoi la fenêtre est-elle ouverte ? »

« C'est moi qui l'ai ouverte », a dit Maman.

« Mais on gèle ! »

Maman n'a rien répondu. Elle a recommencé à fixer la tomate.

« Rachel ? » a repris Papa.

Maman s'est emportée : « Sarah laisse toujours ses fenêtres ouvertes ! Et il n'arrive jamais rien à ses enfants ! »

Papa l'a regardée droit dans les yeux. Puis il s'est approché d'elle et l'a prise dans ses bras.

« Ça va aller », lui a-t-il murmuré tendrement.

Maman n'a rien répondu.

« Rien de ce qui arrive n'est de ta faute. »

Maman a frotté sa tête contre son épaule. « Je sais », a-t-elle repris dans un soupir. Papa lui a serré doucement le bras.

« Tout va bien », a-t-il chuchoté. Puis il est allé fermer la fenêtre d'un geste déterminé.

Pourquoi je veux un dirigeable

Je veux un dirigeable. Il n'y a pas mieux. Ce sont des sortes de gros ballons à air chaud, mais en forme d'ovale couché sur le côté. Et en plus ils ont un moteur et on peut les diriger pour aller où on a envie.

On peut construire son propre mini-dirigeable dans son garage. Il y a des gens qui l'ont déjà fait. Ça doit être une sensation incroyable ; ce serait comme avoir son avion personnel, mais en mieux. On pourrait voler n'importe où et quand on arriverait là où on voulait aller, on n'aurait même pas besoin d'un héliport ou d'une piste d'atterrissage. Il suffirait d'attacher le dirigeable à une montagne par exemple et de descendre la corde. Et quand on voudrait repartir, on grimperait le long de la corde et on s'envolerait encore.

On pourrait faire des signes à tous les gens coincés dans les embouteillages et se moquer d'eux. Si on voyait quelqu'un qu'on n'aime pas, comme Craig Todd de mon école ou mon ancien prof Monsieur Cryfield, on pourrait leur cracher dessus – Splatch ! – ou lancer des tomates sur leur tête et ils ne pourraient rien y faire.

On pourrait aller partout avec un dirigeable. Pas que dans des endroits ennuyeux comme les magasins, mais carrément jusqu'en Afrique ou en Amérique. On n'aurait pas à s'embêter avec les billets ou les passe-ports, ou à attendre dans les aéroports : il suffirait de partir, c'est tout. Un dirigeable peut facilement tra-verser les mers. On pourrait l'attacher à la statue de la Liberté ou à la tour de Pise. Et si quelqu'un essayait de nous arrêter – « Hasta la vista, bande de nazes » – on se détacherait et on partirait au loin.

On pourrait aller n'importe où. N'importe où. Et personne ne pourrait nous arrêter.

Le 1ᵉʳ février
Être un adolescent

Hier, j'ai encore passé l'après-midi chez Félix. C'est lui qui a répondu à la porte.

« Salut ! » Il a salué Papa de la tête. « Bonjour, père de Sam. »

« Bonjour, ami de Sam », a répondu Papa, hyper-sérieux. Il aime bien Félix. « Sam, je viens te chercher après le goûter, d'accord ? »

On lui a fait au revoir de la main jusqu'à ce qu'il arrive à la voiture.

« Au revoir… au revoir… il s'en va… il s'en va… il est parti ! » Félix a claqué la porte et il s'est tourné vers moi. « Et maintenant ? »

On est allés dans la chambre de Félix. Elle est au rez-de-chaussée, comme la mienne et elle ressemble à une vraie chambre d'ado. Les murs sont peints en noir et couverts de cartes postales et de posters de groupes de rock avec des cheveux noirs qui leur tombent sur les yeux et des piercings. Sur la porte, il y a deux bandes de Scotch jaune de travaux qui se croisent et un panneau qui dit : « DANGER : BOMBE AMORCÉE ».

Je me sens toujours bizarre dans la chambre de Félix. Je repense à la mienne, avec ses meubles bleus, ses trois étagètes de livres et le rebord de la fenêtre sur lequel est posé un bateau dans une bouteille et mes meilleures figurines Warhammer à côté des morceaux de fossiles et de quartz que j'ai rapportés des vacances à la plage. Félix est deux ans au-dessus de moi à l'école et il devrait être au collège. Mais j'ai 11 ans et lui 13. C'est pas beaucoup plus vieux.

« Quoi ? » a demandé Félix. Il me regardait.

« Rien… Je pensais juste à ma liste. *Être un adolescent.* » J'ai hésité. « C'est un peu débile d'avoir écrit ça. »

« C'est vrai que c'est assez dur à faire sans une machine à voyager dans le temps », a reconnu Félix. « Et qui voudrait gâcher une machine à voyager dans le temps juste pour être un adolescent ? » Il m'a regardé à nouveau et il a rigolé. « On se motive ! Le

plus important pour être un ado est de faire ces trucs : boire de l'alcool, fumer et avoir une petite copine. »
Il a fouillé dans la poche de son fauteuil et a commencé à en sortir un téléphone portable, une poignée de berlingots et une carte de Newcastle.

« Mais qu'est-ce que tu fabriques ? » ai-je demandé, un peu inquiet.

« Je réalise tous tes souhaits », a dit Félix. Il a trouvé un paquet de cigarettes tout écrasé et en a sorti une. « Voilà. »

J'ai pris la cigarette et l'ai tenue entre l'index et le majeur, comme un vrai fumeur. Félix s'est penché en avant et l'a allumée. J'ai hésité puis je l'ai mise entre mes lèvres et j'ai aspiré. Ça avait un goût de fumée chaude et amère. J'ai retenu la fumée dans ma bouche aussi longtemps que possible, pour être sûr que ça comptait vraiment, puis je l'ai soufflée en toussant et en m'étranglant. Félix était mort de rire.

« C'était bon ? »

« C'était pas mal », ai-je répondu avec une voix bizarre. « Où est-ce que je… ? » J'ai tendu la cigarette en l'air, à la recherche d'un endroit où la poser.

« Tu veux pas la finir ? » a demandé Félix.

« Non, ça va. » J'allais lui dire que fumer donne le cancer quand j'ai réalisé à quel point ça aurait été stupide. Félix a laissé la cigarette sur le bras de son fauteuil. En réalité, il ne fume pas souvent. En fait, il aime surtout l'air que ça lui donne.

« Allez, viens, maintenant », a-t-il repris. « Passe-moi mon manteau. Là. T'es assis dessus. Là ! » Je n'ai pas bougé. « Allez ! »

« Où est-ce qu'on va ? »

« Faire les autres choses, bien sûr », a-t-il dit avec impatience. « Allez, il faut se dépêcher avant que Maman revienne et nous trouve encore un truc à faire. »

On est partis dans la rue. Je poussais Félix qui donnait la direction à suivre.

« Tourne à gauche. Traverse. Allez, plus vite ! Encore plus vite ! Tu peux vraiment pas aller plus vite que ça ?! »

Ça l'amusait beaucoup de ne pas me dire où on allait. Il n'arrêtait pas de répéter : « Ne pose pas de questions. Attends un peu, tu verras. »

Je ne pouvais pas me rappeler la dernière fois où j'étais sorti tout seul, sans un adulte en train de s'agiter autour de moi. Quand on lui a dit qu'on sortait, la mère de Félix n'a pas eu l'air de trop s'en faire.

Félix a seulement dit : « On va au *Vengeur*. On revient pour le goûter. »

Et elle a répondu : « D'accord. Tu surveilleras mon petit gars pour moi, d'accord, Sam ? »

Et j'ai dit : « Bien sûr. »

Autour de chez Félix, les rues avaient l'air plus vieilles que vers chez moi. Dans mon quartier, toutes les maisons sont pareilles. Ici, elles ont toutes des terrasses et elles ne se ressemblent pas, parce que les gens qui y habitent ont peint leur porte en rouge vif ou ont accroché des jardinières ou ont installé des baies vitrées toutes neuves.

« Stop ! » a crié Félix.

On a glissé sur le côté pour faire une pause devant un petit bar tout miteux au coin de la rue. Il s'appelait *l'Ange vengeur*. La peinture sur la porte était écaillée et partait en morceaux. Le bar était fermé.

J'ai dit : « C'est fermé. »

« Je sais bien », m'a répondu Félix. « C'est mon oncle, le patron. Frappe ici. »

À côté de la porte du bar, il y avait une porte bleue. J'ai frappé. Une fille plus jeune que moi est venue ouvrir. Elle avait d'épais cheveux noirs et bouclés et elle portait une petite jupe en tissu écossais et des collants noirs.

Elle nous a demandé : « Qu'est-ce que vous voulez ? »

« Super, l'accueil… », a dit Félix. « Franchement, on a fait tout ce chemin… » Il a secoué la tête. « Je veux montrer le *Vengeur* à Sam. Je peux ? Ou bien oncle Mike est dans le coin ? »

« Il est en haut. Et je ne suis pas censée emmener des gens dans le bar. »

« Elle est adorable, tu ne trouves pas ? » a repris Félix. « Sam, je te présente ma cousine Kelly. Kelly, voici Sam, l'ami que je me suis fait à l'hôpital. »

Kelly m'a regardé droit dans les yeux. « C'est quoi, ta maladie, à toi ? »

Je n'avais pas du tout envie de me lancer là-dedans. « J'ai les globules sphéroïdaux*. »

Kelly, un peu déstabilisée, s'est tournée vers Félix.

« Oublie-le », lui a dit Félix. « Bon, tu vas nous laisser rentrer dans le bar ou quoi ? »

----
* C'est vrai. La leucémie a été inventée par un type qui s'appelait John Hughes Bennett en 1845. La première leucémie a été diagnostiquée sur un enfant en 1850. Le Dr Bennett a observé son sang au microscope et dit qu'il était plein de « globules sphéroïdaux, granuleux et sans couleur ». C'étaient les globules blancs, sauf qu'il ne le savait pas encore. La raison pour laquelle ça a pris autant de temps pour diagnostiquer un enfant, c'est parce qu'à l'époque on ne laissait pas les enfants aller à l'hôpital car on pensait qu'ils étaient porteurs d'infections. C'est pas trop bizarre, ça ?

« D'accord ! » Kelly a secoué la tête comme si elle était en colère contre nous. « D'accord ! Mais c'est toi que j'accuserai si jamais Papa nous surprend. » Puis elle a disparu. Elle est revenue une minute plus tard dans ce qui semblait être les baskets de son père et avec un grand trousseau de clefs pour ouvrir le pub.

À l'intérieur du *Vengeur*, on avait l'impression que c'était elle la patronne et nous les clients. Elle a allumé toutes les lumières puis elle est allée s'asseoir derrière le comptoir, sur l'un de ces grands tabourets qu'on voit souvent dans les bars. Je me sentais un peu mal à l'aise et je suis resté debout derrière Félix, les mains sur les poignées de son fauteuil. Je ne savais pas trop ce que j'étais censé faire.

Bien entendu, Félix, lui, se sentait comme chez lui.

Il a demandé à Kelly : « Dis, tu pourrais pas nous servir quelque chose ? Sam voudrait savoir ce que ça fait de sortir boire un verre. Tu n'aurais pas un truc intéressant qu'on pourrait goûter ? »

Kelly s'est redressée sur son tabouret et elle a pris un air professionnel.

« Nous avons beaucoup de choix. Il y a tout un tas de bouteilles dont Papa ne se sert jamais sur l'étagère du haut. Vous en voulez une ? »

« Qu'est-ce que tu nous proposes ? » a demandé Félix.

Kelly a repoussé le tabouret contre le mur du fond et elle s'est agenouillée dessus.

« Crème de menthe... crème de cacao... c'est du café, je crois, ou du chocolat... cherry brandy... »

« Ça, c'est de la cerise », a interrompu Félix, sans vraiment vouloir l'aider. « C'est bon, ça. On va en prendre. »

Je n'oserais jamais entrer dans le bar de quelqu'un d'autre pour servir des verres, mais Kelly était aussi téméraire que Félix.

Elle nous a versé une goutte de brandy dans deux verres à liqueur et un peu de crème de menthe dans un autre pour elle.

« Allons-y », a dit Félix en se penchant pour attraper son verre.

J'ai pris le verre à liqueur pour le sentir. Puis j'ai bu une gorgée. Ça ne ressemblait pas vraiment à de la cerise. C'était sucré et épais et ça avait un goût d'alcool, comme du vin chaud. Il y avait juste assez dans le verre pour une gorgée et c'était tout.

« Alors ? » m'a demandé Félix.

« Ouais. »

« Bon, ça fait deux trucs d'adolescents de faits »,

a repris Félix. Il a levé les yeux vers Kelly dont les chevilles étaient enroulées autour des pieds de son tabouret. « Il en reste encore un. »

Je savais très bien à quoi il pensait.

« Non ! »

« Quoi ? »

« Y a pas moyen ! »

« Oh, ferme-la ! » Félix s'est penché dans son fauteuil. « Hé, Kelly ! »

Kelly était affalée sur le bar, presque allongée dessus. Elle a regardé Félix par-dessous ses cheveux qui lui tombaient sur le visage. « Oui, monsieur. »

« Si je te mettais au défi de faire quelque chose, tu le ferais ? »

Kelly a gloussé : « Non ! »

« Allez, vas-y, fais pas ton bébé. »

Kelly s'est redressée et nous a observés attentivement derrière ses mèches de cheveux. « Ça dépend de ce que c'est. »

« Tu devras embrasser Sam. Vraiment l'embrasser. Sur la bouche. »

« Félix ! »

Kelly a recommencé à glousser.

« Je n'y suis pour rien », ai-je protesté. « C'est son idée. »

« Mais ferme-la, toi ! Est-ce que tu le feras, Kelly ? »

Elle a rougi : « Non ! Jamais de la vie ! Pas si tu regardes ! »

Il a fallu environ dix minutes à Félix pour la sortir de derrière le comptoir. Elle continuait de glousser en disant : « Non, mais… » et en cachant son visage derrière ses mains. Je suis resté là, gêné.

« OK », a dit Félix. « Bon, Kelly, arrête de rire et fais-le. »

Elle était maintenant rouge comme une tomate. « Tu n'as pas le droit de regarder ! »

« Je ne regarde pas ! »

« Sérieux ! Tourne-toi ! »

« C'est bon ! Regarde, je suis déjà retourné ! »

« D'accord. » On n'arrivait pas à se regarder, Kelly et moi. Je me demandais si elle s'attendait à ce que je fasse quelque chose et, si oui, ce que ça pouvait être. Je me suis approché d'elle. Elle a levé les yeux vers moi et m'a souri. Elle est venue droit sur moi et m'a donné un baiser un peu maladroit.

Sur la bouche.

Liste n° 5

Pour vivre à jamais :

1 - Dire chaque matin : « Je dirai encore ça demain. »

2 - Devenir un vampire... et espérer ne jamais rencontrer Buffy.

3 - Se faire congeler. Puis, dans environ 100 ans, quand on aura trouvé un remède contre le cancer et le secret de la vie éternelle, se faire décongeler. (Avec un peu de chance, on pourra rencontrer des robots et des extraterrestres et avoir un vaisseau spatial rien que pour soi.)

4 - Trouver la source de la Jeunesse éternelle. Y boire un coup. (Comme ça, en plus on pourra rester jeunes.)

5 - Copier son cerveau sur un CD et vivre dans un ordinateur. Espérer ne pas être attaqué par un virus.

6 - Trouver une déesse grecque et la rendre amoureuse. Lui demander d'aller parler à Zeus, le roi des dieux, pour qu'il nous rende immortels*.

7 - Créer une pierre philosophale.
(Avec, non seulement on obtient la vie éternelle, mais on gagne aussi un tas d'or illimité.)

* S'assurer qu'elle lui demande aussi la jeunesse éternelle. C'est arrivé à un type de la mythologie grecque qui était tombé amoureux de la déesse de l'aube. Elle demanda à Zeus de le rendre immortel mais elle oublia que les humains vieillissent. Il continua donc à se friper et à se rider pour toujours. C'est pourquoi l'aube se lève si tôt chaque matin : elle doit partager son lit avec un petit vieux tout ratatiné.

Le 1er février

Aller sur la Lune

Après avoir dit au revoir à Kelly, Félix et moi on est allés s'acheter des Mister Freeze à l'épicerie du coin et on s'est assis dans un parc pour les manger.

« Alors ? » m'a demandé Félix, « est-ce que c'était dégueu ? », mais je ne voulais pas lui répondre.

« On va le faire, tu sais », a ajouté Félix, « le dirigeable, devenir célèbres et aller dans l'espace. C'est ça, hein ? »

« C'est ça qu'on va faire, maintenant ? Construire une fusée ? »

« Pourquoi pas ? » Félix était assis sur la balançoire et faisait pendouiller ses jambes. Il s'est penché en arrière le plus possible et a crié : « On peut faire ce qu'on veut ! Tout ce qu'on veut ! »

Je me suis mis à me balancer aussi haut que possible. J'étais fatigué mais je ne m'étais pas senti aussi heureux depuis très longtemps. J'ai crié moi aussi : « On va aller sur la Lune ! »

Je sais, c'est complètement dingue. Mais qui sait ? Peut-être qu'on pourrait y arriver.

L'histoire des étoiles

Savez-vous d'où on vient ? Fait réel : on vient des étoiles.

Quand les vieilles étoiles meurent, elles sont détruites dans une gigantesque explosion qui forme une nébuleuse. Ce sont des nuages de gaz et de poussière et c'est là que grandissent les bébés étoiles. Tout le gaz et la poussière sont compressés, la gravité les aspire et ils se transforment en étoiles. Les restes de la vieille étoile flottent dans l'espace sous la forme de planètes ou de lunes ou de comètes et, si les conditions sont bonnes, des plantes et d'autres trucs commencent à pousser et des gens naissent. Donc, on est tous faits de petits morceaux d'étoiles. Mais c'est un cycle. Parce que après des millions d'années la nouvelle étoile devient vieille et fatiguée à son tour et elle explose et d'autres bébés étoiles naissent. Si les vieilles étoiles ne mouraient pas, il n'y en aurait jamais de nouvelles.

Voici un autre fait réel : le carbone, l'hydrogène, l'oxygène et l'azote sont les éléments nécessaires à la vie. Et si on observe les comètes, on s'aperçoit qu'elles ont presque les mêmes proportions de ces éléments que nous.

Explosions

Aujourd'hui, j'ai posé une question sur les fusées à Mademoiselle Willis. « Est-ce qu'on pourrait en construire une, une vraie ? Est-ce que ça compterait comme du travail d'école ? »

Elle m'a répondu : « Tout compte si on essaye assez sérieusement. Les fusées, c'est de la science. Mais pourquoi est-ce que tu veux en construire une ? »

« Pour aller dans l'espace. »

« Ah ! ça, c'est un peu plus difficile. On pourrait classer cet exercice dans... euh... le développement de l'imaginaire par l'expérience. »

« Est-ce que ça veut dire non ? »

« Ça signifie surtout qu'il ne faut rien dire aux services de santé et de sécurité », a dit Mademoiselle

Willis. « Et n'attends pas que le ministère de l'Éducation paie pour ça. Déjà qu'ils arrivent à peine à me nourrir… »

On a eu un super-cours. On a fait un exercice appelé « réaliser des feux d'artifice ». Il fallait lancer pour de vrai de la limaille de fer et d'autres trucs du même genre sur le brûleur à gaz de la cuisinière et les regarder exploser. Mademoiselle Willis aime les explosions, comme tout le monde.

Le seul problème, c'est que Félix n'est pas venu.

Maman a appelé la mère de Félix après le déjeuner. Elle est restée dans l'entrée pendant des heures. Puis elle est revenue et s'est assise à la table pour me regarder, sans rien dire. J'étais en train de décalquer une supernova.

« Sam… »

« Qu'est-ce qui est arrivé à Félix ? » lui ai-je demandé.

Maman n'arrivait pas à répondre clairement. « En fait… en fait c'est un peu de ça dont je veux te parler. »

J'ai levé les yeux. Maman avait pris un air sérieux. Elle triturait le bout des manches de son pull, les tournant et les retournant encore, et encore.

« Qu'est-ce qu'il y a ? *Maman !* Qu'est-ce qui se passe ? »

Elle a pris une profonde inspiration. « Sam, Félix est allé à l'hôpital ce matin. »

Je n'ai plus bougé. Je ne savais pas quoi dire. J'ai pensé : *Mais, c'est impossible.*

« Pourquoi ? » ai-je demandé

« Gillian m'a dit qu'il avait attrapé une infection. Elle vient de partir le rejoindre. »

Gillian est la mère de Félix.

Je ne bougeais toujours pas. Je ne m'attendais pas à ça. C'était comme si un petit cratère s'était creusé dans mon estomac. Bien sûr, je savais que Félix était assez malade, comme moi, mais je ne m'attendais pas à ce qu'il tombe malade pour de bon.

« Il va se rétablir. »

Maman n'a rien répondu.

« Il va s'en sortir », ai-je répété.

Voici le dessin d'une supernova que j'ai décalqué. Une supernova est une étoile qui explose. Sur ses débris, de nouvelles étoiles
et des races d'aliens peuvent apparaître.

Le 4 février
Prendre le téléphone en otage

Deux nuits ont passé et Félix est toujours à l'hôpital.
J'ai essayé d'interroger Annie pour savoir si elle était
au courant de quelque chose quand elle est venue me
donner des plaquettes, mais elle a dit qu'elle ne savait
rien. Mademoiselle Willis est revenue et m'a demandé
si j'avais avancé dans mon livre. Je lui ai répondu que
non, même si en fait j'ai un peu continué. Je voudrais
n'avoir jamais commencé ce livre débile. Ça ne
m'amuse même plus. Je voulais que Maman appelle
la mère de Félix et découvre ce qui se passe. Mais elle
n'a pas voulu. Elle a dit que Gillian avait assez de sou-
cis comme ça et qu'il ne fallait pas l'embêter.

« Et moi alors ? Je suis inquiet, moi. Elle, au moins,
elle est là-bas. On ne pourrait pas aller le voir ? »

« Non », m'a répondu Maman. « Il est vraiment très mal, Sam. Il ne voudrait pas que tu le voies comme ça. Et puis il ne faudrait pas que tu attrapes quelque chose, n'est-ce pas ? »

J'avais envie de crier. C'est si injuste. C'est une chose de dire que personne ne peut aller le voir mais dire que je ne peux pas y aller parce que je pourrais tomber malade, c'est vraiment horrible. En plus, c'est complètement idiot ! Je devrais être plus résistant aux maladies, et pas moins, avec mon armée de globules blancs méga-renforcée.

J'ai crié : « C'est de la discrimination ! Et puis de toute façon, on n'est contagieux qu'au moment où on tombe malade, pas après. » (Je n'en étais pas sûr à cent pour cent, mais je l'ai dit quand même.) « Et puis il voudrait que je sois là. Il l'a dit ! »

« Sam... » Maman a tendu le bras vers moi mais je me suis écarté.

« Non ! C'est pas juste ! »

Elle a soupiré. « Non, ce n'est pas juste mais c'est comme ça. Tu devras t'y faire et vivre avec. »

« Non ! » Je l'ai repoussée puis j'ai couru dans l'entrée et j'ai claqué la porte.

J'ai pris le téléphone et je me suis mis à taper sur les touches. Je ne connais pas le numéro de portable de la mère de Félix, mais je connais celui de chez eux.

Maman est venue derrière moi et elle a vu ce que j'étais en train de faire. Elle a essayé d'attraper le téléphone. Je l'ai tiré aussi loin que possible. Il est tombé de la table et a atterri sur le sol avec un bruit sourd. Dans le combiné, j'entendais une voix endormie qui disait : « Allô ?... Allô ? »

« Mickey ! Mickey... »

Maman m'a arraché le combiné des mains. « Mickey, je suis désolée... »

« Demande-lui ! Mais demande-lui ! »

Maman a emporté le téléphone au salon. Je l'ai suivie. Elle m'a dit : « Sam ! » Puis elle a parlé à Mickey : « Je suis vraiment désolée pour tout ça, mais Sam est si inquiet... »

Je suis un vrai pro pour écouter aux portes mais, même moi, je ne pouvais rien déduire des « Je comprends » et « Bien sûr » de Maman. Je ne pouvais que rester assis là à trépigner jusqu'à ce qu'elle raccroche le téléphone et me regarde droit dans les yeux.

« Alors ? »

Maman a ouvert la bouche comme si elle allait crier puis elle l'a refermée. « Il est toujours à l'hôpital. »

« Et... ? »

« Et il est toujours très mal en point. » Elle a hésité puis elle m'a dit : « Mickey m'a promis qu'il dirait à sa mère qu'on a appelé, mais il a aussi dit que ce n'est pas la peine de rendre visite à Félix parce qu'il passe beaucoup de temps à dormir. »

Je n'ai rien répondu.

« Son père va aller le voir demain, mais ils ne savent pas quand Félix pourra sortir. Sam… »

Je ne voulais pas écouter ce qu'elle s'apprêtait à ajouter.

« Mais samedi, il allait bien », lui ai-je dit. C'était trop injuste et je ne pouvais pas l'accepter. « Il n'y avait rien qui clochait chez lui ! »

L'histoire de la guérison

C'est une histoire que j'ai inventée.

Au début, je suis à la maison. Je suis en colère et très malheureux. Maman aussi est en colère. On se dispute. Maman pleure.

On dirait qu'il ne se passera plus jamais rien de bien.

Et puis le téléphone sonne.

C'est Annie à l'autre bout du fil. Elle est tout euphorique. Un groupe de scientifiques a découvert un nouveau médicament qui a soigné des hamsters et des souris atteints de leucémie dans plein de laboratoires. Tous les hamsters et les souris de laboratoire étaient allongés, prêts à mourir, mais après avoir reçu ce médicament, ils sont allés mieux et aujourd'hui ils vivent une vie heureuse comme animaux de compagnie des enfants de ces savants.

Les scientifiques avaient aussi besoin d'humains pour poursuivre le test. Ils ont donc appelé l'hôpital et parlé à Annie.

Voilà ce qu'ils lui ont raconté : « Nous avons besoin de beaucoup de gens souffrant de leucémie. Indiquez-nous vos patients les plus malades. Plus ils sont malades, mieux c'est. Le médicament est si efficace qu'après une seule cuillerée ils pourront aller danser en boîte. »

« Attendez une seconde », a répondu Annie. Et elle a tout de suite appelé ses patients pour leur parler de ces scientifiques.

Certains ont été très méfiants.

« Jamais », ont-ils affirmé.

« C'est une arnaque. »

« Aucun médicament ne peut être aussi efficace. »

Mais moi, j'ai dit que je voulais essayer.

Le lendemain les savants sont passés chez nous. Ils m'ont donné une boîte de petits cachets rayés rouge et blanc.

« Voilà pour toi », ont-ils expliqué. « C'est le médicament. Prends-en deux par jour avec une boisson. Choisis celle que tu préfères. »

Le médicament est vraiment efficace. Dès la première pilule, je commence à me sentir mieux. Après en avoir pris deux, je ne me sens plus fatigué. Et après la troisième, je me lève et je commence à sauter sur mon lit. Je cours dans toute la maison. Je sors mon vélo et je roule tout en haut de la colline avant de redescendre. Je joue au basket avec Elsa sur le vieux panier de notre maison et je la bats 38 à 6.

Après avoir pris tous les médicaments de la boîte, je suis complètement guéri. Les scientifiques sont ravis. On parle de moi aux informations. Tous les journaux du monde publient une photo de moi en train de descendre la colline sur mes rollers ou de rendre visite à d'autres enfants atteints de leucémie pour leur parler des pilules.

Les savants gagnent des milliards en vendant leur médicament à des hôpitaux.

Ils m'en donnent une partie et je pars faire une croisière autour du monde avec ma famille, Félix et Mamie.

Et jamais plus personne ne meurt d'une leucémie. Plus jamais.

Le 5 février

Le coup de fil

La mère de Félix a appelé le lendemain soir.

Quand le téléphone a sonné, Maman a foncé dessus. Elle avait déjà sauté dessus quand un type qui vendait des assurances et un autre des cuisines avaient appelé. Elle a fermé de nouveau la porte du salon pour qu'Elsa et moi on n'entende pas ce qu'elle disait. Mais nous, on déteste les secrets.

On s'est regardés.

Le visage d'Elsa était tout blanc et ses yeux étaient immenses. On aurait quand même pu entendre mais Papa était là et il a monté le son des infos à la télé pour qu'on ne puisse pas écouter. Papa n'avait rien dit sur le fait que Félix soit à l'hôpital.

Pas un mot.

On a entendu Maman arrêter de parler dans l'entrée. Il y a eu un long silence inquiétant. Puis elle est revenue et s'est assise au bord du canapé. Elle avait encore son air sérieux. Tout à coup, je n'avais plus envie de savoir.

« Est-ce que c'était la mère de Félix ? » a demandé Elsa.

« Oui », a répondu Maman. Elle a hésité une seconde. « Sam, Gillian dit que —si tu le veux— tu pourrais peut-être passer lui dire… passer le voir. »

« Est-ce qu'il est réveillé ? »

« Non », a dit Maman. « Pas vraiment. » Elle a frotté sa main sur sa jambe. « Oh, je ne sais pas. Tu n'es pas obligé d'y aller si tu n'as pas envie. »

Je n'avais pas envie.

J'avais envie.

Je n'avais pas envie.

« Oui. Je vais y aller. »

QUESTIONS AUXQUELLES
PERSONNE NE RÉPOND JAMAIS

n° 4

Est-ce que ça fait mal
de mourir ?

Le 6 février
Voilà ce qui s'est passé

Ça m'a fait bizarre de revenir dans le service. Il y avait une nouvelle dans le bureau des infirmières et elle ne nous a pas reconnus. Elle a dit que Félix avait une chambre pour lui tout seul. J'ai fait glisser mes doigts le long des murs du couloir en suivant Maman. Je me souvenais.

Félix disait toujours que plus on est malade, meilleur est le service. Une fois, on avait vidé une bouteille de sirop de grenadine sur ses draps pour demander à l'apprentie infirmière de nous rapporter une canette de Coca du distributeur. Elle était devenue toute blanche et avait hurlé à l'une des vraies infirmières de venir. On ne s'était pas fait gronder qu'à moitié...

Et en plus, elle ne nous a jamais apporté la canette de Coca.

« Vous voilà ! »

J'ai sursauté. C'était Mickey, le frère de Félix, qui nous souriait derrière deux gobelets en plastique. Il avait toujours le même air : gros et ébouriffé comme un ours endormi, avec ce qui ressemblait à du jaune d'œuf renversé sur son T-shirt. Il a d'abord discuté avec Maman. Au début, j'ai tendu l'oreille, au cas où ils parleraient de Félix, mais ils n'ont parlé que de son père, de ses grands-parents et de quelqu'un d'autre que je ne connaissais pas. J'ai arrêté d'écouter. Je suis allé devant sa porte. J'avais envie d'entrer mais je n'osais pas.

Je me sentais mal.

Une fois à l'intérieur, ce n'était pas aussi terrible que je l'avais imaginé. Félix était allongé sur le dos et il portait un pyjama normal. Il avait l'air endormi. Sa mère était assise à côté du lit et lui tenait la main. Elle s'est tournée quand on est entrés. Maman et elle se sont regardées par-dessus le lit.

Son visage a semblé se chiffonner et elle s'est mise à pleurer. Mickey, Maman et moi, on est restés là, sur le pas de la porte. Je ne savais pas quoi faire. Je n'avais jamais vu la mère de Félix pleurer. Peut-être que Maman si, par contre. Elle s'est avancée vers elle et a passé son bras autour de ses épaules.

« Chut... », a-t-elle murmuré. « Chut... ça va aller, ça va aller. » Le bras toujours autour de ses épaules, elle l'a guidée vers la porte en lui parlant d'une voix très douce. « Allez. Allez, allons dans un endroit calme. » Et en une seconde, elles avaient disparu.

« T'inquiète pas », a dit Mickey. « Il y a une pièce spéciale pour les gens qui craquent. »

« Je sais. » Soudain, je me suis rappelé que Félix avait dit qu'il ne voulait pas que sa mère soit là quand il mourrait, pour qu'elle ne soit pas trop bouleversée. J'ai jeté un coup d'œil rapide vers lui. Il n'avait pas bougé.

« Est-ce que tu voudrais venir t'asseoir près de lui ? » m'a demandé Mickey. J'ai hoché la tête. Il m'a poussé vers la chaise avec gentillesse.

« Tu peux lui tenir la main, si tu veux. Et lui parler. Fais-lui sentir que tu es là.

« Est-ce qu'il peut m'entendre ? »

« Peut-être. »

Je me demandais s'il était dans le coma ou juste endormi. J'ai pensé qu'il était sans doute dans le coma. On ne peut pas entendre les gens quand on dort. Je me suis aussi demandé ce qui se passerait si je le secouais en hurlant : « Debout ! » Peut-être qu'il ouvrirait les yeux et crierait : « Et alors, où est mon Coca ? » Ou peut-être pas.

Je suis resté assis sur la chaise mais je ne lui ai pas pris la main. Je me sentais vraiment idiot assis là. Je sais que c'était affreux mais je ne pouvais pas m'en empêcher. Je me demandais s'il pouvait nous voir, ou nous entendre. S'il avait pu, je parie qu'il se serait moqué de moi.

« Salut », lui ai-je dit.

Je n'arrivais pas à trouver autre chose à dire. Pas avec Mickey à côté. Mais Mickey a eu l'air de comprendre. Il a dit : « Je ferais mieux d'apporter son thé à Maman. Tu en voudrais une tasse ? »

« Oui, s'il te plaît. »

« Tu vas t'en sortir tout seul, n'est-ce pas ? Tu n'auras pas peur ? »

« Non. »

Je n'avais pas peur. C'était juste Félix.

Il avait juste l'air endormi.

Ce qui s'est passé après a été complètement incroyable.

Quelque chose que je n'ai pas raconté à Mickey, ni à la mère de Félix, ni à personne.

Quelque chose de secret.

Je me suis senti mieux après le départ de Mickey. Je me suis assis sur la chaise et j'ai regardé Félix en raclant les semelles de mes chaussures sur le sol. La chambre était silencieuse. C'était agréable. On n'était que tous les deux.

« J'aimerais bien que tu te dépêches de te réveiller », lui ai-je dit. Je savais bien qu'il n'allait pas le faire, mais je lui ai dit quand même.

Et, là, il a ouvert les yeux.

Il regardait droit vers moi. Je ne savais pas quoi faire. Je pensais que peut-être je devrais crier à Mickey de revenir mais je ne pouvais pas bouger. C'était comme s'il voulait que je fasse quelque chose ou que je dise quelque chose mais je ne savais pas quoi.

Alors, j'ai recommencé à parler : « Tout va bien. »

Il a continué de me regarder. Puis, tout à coup, il a souri. Et même mieux que ça. Il a fait un grand sourire. Un vrai grand et large sourire qui coupe le visage en deux. Il avait l'air si heureux que je lui ai souri moi aussi sans y penser.

Et puis ses yeux se sont refermés et tout son corps s'est détendu.

Je suis resté assis là sur ma chaise en plastique, à côté du lit, près de lui.

Je savais que j'aurais dû aller chercher Mickey ou une infirmière ou n'importe qui d'autre, mais je ne l'ai pas fait. Je suis juste resté là, en silence et tout près de lui jusqu'à ce qu'ils reviennent.

Qu'est-ce que mourir ?

« La mort : arrêt définitif des fonctions vitales
d'un organisme ; la fin de la vie. »
Dictionnaire concis d'Oxford, 9ᵉ édition.

« Quand quelqu'un meurt, cela signifie que
son corps ne fonctionne plus. Le cœur s'arrête
de battre et on n'a plus besoin de manger ou
de dormir et on n'a plus mal. On n'a plus
besoin de son corps (ce qui est une bonne chose,
puisqu'il ne fonctionne plus). Comme les morts
n'ont plus besoin de leur corps, on ne peut
plus les voir comme on le faisait avant qu'ils
meurent. »

Les Enfants et la Mort, par Danai
Papadatou et Costas Papadatos.

Le 6 février

Tout seul dans la nuit

Je n'ai pas beaucoup dormi la nuit où Félix est mort. Je me sentais très très fatigué, mais je n'ai pas dormi. Je suis resté réveillé et j'ai écouté. J'ai écouté le chauffage central qui faisait du bruit. J'ai écouté la pluie tambouriner sur le toit. J'ai suivi les ombres familières de ma chambre en essayant de me rappeler ce qu'elles représentaient. Là, c'était le panneau sur lequel j'avais accroché toutes les cartes que les gens m'avaient envoyées. Là, c'était mon panier de linge sale plein d'affaires qui attendaient qu'on les emporte. J'étais allongé, réveillé, et j'essayais d'inspirer tout ça pour le garder quelque part où je m'en souviendrais pour toujours.

Très tard ce soir-là, j'ai entendu des bruits de pas qui faisaient grincer l'escalier et ma porte s'est ouverte.

C'était Elsa. Elle portait son gros éléphant en peluche et elle pleurait. Je me suis assis sur le lit et je l'ai regardée. Elle ne disait rien. Je crois qu'elle était encore à moitié endormie. Elle s'est avancée sans bruit vers mon lit et a tâté ma couette, comme pour être sûre que j'étais encore là. Puis elle a grimpé dans le lit à côté de moi, elle a enlacé l'éléphant et elle a fermé les yeux.

C'était la première fois qu'elle faisait un truc pareil.

Je suis resté un moment collé contre le mur. Ses doigts de pied froids étaient posés contre ma jambe et je sentais la douce chaleur de son corps à travers mon pyjama. Puis j'ai eu l'impression que quelque chose se détendait en moi. J'ai fermé les yeux et je me suis endormi.

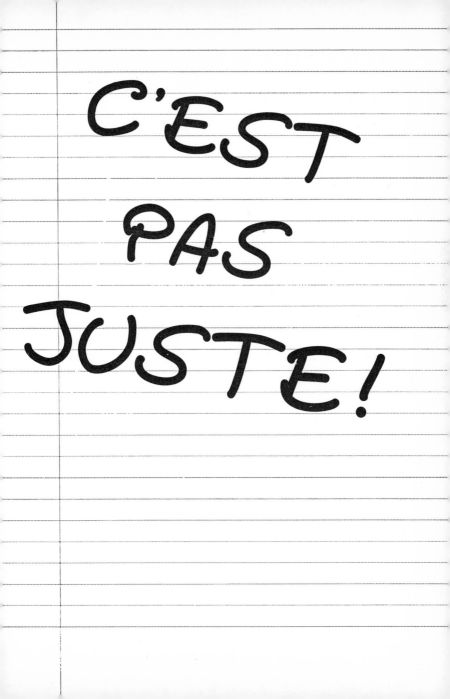

Maman

Le lendemain, je suis resté au lit. J'ai écrit, écrit et écrit. Je ne me suis pas levé de la journée. Dehors, tout était gris, il faisait froid et il n'arrêtait pas de pleuvoir. Annie est venue pendant la matinée mais pas Mademoiselle Willis. Maman n'a pas arrêté de passer la tête par la porte de ma chambre pour me demander : « Tu te sens bien ? Tu ne veux pas manger quelque chose ? »

Je me sentais tout bizarre, un peu lourd et j'avais l'impression de ne pas être vraiment là. Mes os s'étaient remis à me faire mal.

Maman avait toujours l'air d'avoir envie de dire quelque chose et puis, finalement, elle ne disait rien. De toute façon, je n'avais pas envie de lui parler. Je ne savais pas quoi dire.

Je voyais bien qu'elle avait pleuré : son visage était rouge et humide, et plein de larmes.

Ce soir-là, elle est entrée dans ma chambre et elle s'est assise à côté de mon lit.

« Sam… Sam, est-ce que tu pourrais essayer de manger quelque chose ? Pour moi ? »

J'ai secoué la tête. J'avais le ventre tout retourné comme si j'étais sur un bateau qui ne voulait pas s'arrêter de bouger, comme si le monde entier était un bateau balancé et secoué par une tempête. Maman a hoché la tête une ou deux fois puis elle a pris une longue inspiration en frissonnant.

« Peut-être que tu pourrais boire un peu de milk-shake ? »

Elle est sortie pour m'en préparer un. Je tenais le verre un peu bizarrement. Il semblait à la fois lourd et moelleux entre mes doigts. J'avais la peau de la main sensible et engourdie et je pouvais sentir chaque picotement de mon pull contre mes bras et mon cou.

Maman me regardait.

« S'il te plaît, essaye de le boire. »

J'ai bu à peu près la moitié du lait. Et puis j'ai tout vomi, sur ma couette et mon pull.

Maman est restée là sans bouger, à me regarder.

J'ai commencé à trembler, je ne pouvais pas m'en empêcher. Et là, j'ai réalisé que j'étais en train de pleurer, mais je ne savais pas si c'était à cause de Félix ou parce que j'avais vomi ou parce que je me sentais si fatigué et tellement malade.

Maman s'est approchée et elle a passé son bras autour de moi, mais je lui ai crié de l'enlever parce que ça me faisait mal. Elle l'a retiré et s'est mise à pleurer elle aussi.

Je sanglotais. « Je déteste ça. » Ma voix est partie dans les aigus, secouée par les sanglots. « Je déteste ça ! Je le déteste ! »

Maman a hoché la tête. Son visage était tout brillant de larmes.

« Moi aussi, tu sais », a-t-elle murmuré. « Oh, mon amour, si tu savais combien je déteste ça. »

Je ne sais plus pendant combien de temps on a pleuré, mais je me souviens que, quand on s'est arrêtés, elle m'a tendu un mouchoir et que j'ai frotté mon visage avec et qu'elle s'est séché les yeux. Et je voyais bien à quel point elle avait envie de tout remettre bien comme avant, mais c'était impossible. Elle est donc partie me chercher une nouvelle housse de couette et elle m'a aidé à enfiler un T-shirt propre. Après, elle m'a apporté une petite bougie dans une soucoupe et a éteint la grande lampe pour qu'il ne reste plus qu'un petit cercle de lumière sur ma table de nuit. Et puis elle s'est assise là, sur une chaise, contre mon lit, juste à côté de moi, jusqu'à ce que je m'endorme.

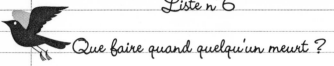

Liste n° 6

Que faire quand quelqu'un meurt ?

1 - Quand un hindou meurt, sa famille allume
une petite flamme qui reste dans la maison,
à côté de son corps. Les hindous pensent que,
lorsque l'âme de quelqu'un quitte son corps,
elle est désorientée et ne sait pas où aller.
La flamme lui donne un endroit où vivre.
Au bout de dix jours, on emporte la flamme
au bord de la mer et on la met dans l'eau.
Cela indique à l'esprit qu'il est temps de
commencer son voyage vers la vie éternelle.

2 - Les pygmées n'aiment pas la mort.
Quand quelqu'un meurt, ils font tomber sa case
sur lui, déménagent leur campement loin de là
et ne parlent plus jamais de lui.

3 - Après la mort de quelqu'un,
les Jamaïcains font la fête pendant neuf nuits.
Ils mettent de la nourriture dehors pour
le défunt. Ils dansent et chantent en buvant
du rhum très fort.

4 - Quand un juif meurt, il est lavé par les hommes ou les femmes, selon qu'il est un homme ou une femme et on l'habille avec un linceul blanc. Il y a toujours quelqu'un qui reste pour veiller le corps jusqu'à l'enterrement. C'est une façon de respecter le défunt et de s'assurer que personne ne vole le corps. Pendant l'enterrement, les gens déchirent leurs habits pour montrer leur chagrin. Ensuite, ils sont en deuil pendant sept jours. Cette période s'appelle la Shiva.

5 - Les Mexicains font une grosse fête. On l'appelle les Jours des Morts et ça a lieu le 1er et le 2 novembre. Ils partent voir les tombes des gens et décorent le pays avec des crânes et des squelettes. Ils préparent de la nourriture pour les morts de leur famille et leur gardent une place à table.

6 - En Alaska, certains Eskimos couvrent le corps des morts par un igloo. Il fait si froid en Alaska que les corps peuvent rester congelés pour toujours, sauf si des ours polaires les mangent.

Le 9 février
Nouvelles disputes

Le lendemain, je me suis réveillé tard. Je suis resté allongé sur le côté à écouter les bruits que faisait ma famille. Elsa regardait les dessins animés du samedi matin. Je pouvais entendre le son étouffé de la télévision et les rires d'Elsa. Maman était dans la cuisine et faisait du bruit en bougeant les casseroles. Elle écoutait la radio en discutant avec Papa. Je les entendais parler mais je ne comprenais pas ce qu'ils disaient ; je percevais seulement le son familier de leurs voix qui montaient et descendaient.

On aurait dit qu'elles venaient de sous la mer ou de très très loin.

Je me suis dit : « Voilà à quoi ça ressemblera quand je ne serai plus là. » Je me sentais déjà à moitié parti,

allongé comme ça derrière la porte. J'étais très fatigué.
Je pensais à Félix. Félix, enfermé dans une boîte et
lâché dans un trou. J'ai fermé les yeux.

Je ne sais pas depuis combien de temps j'étais
allongé là, quand quelqu'un a frappé à la porte.

« Entrez », ai-je répondu.

Elsa a ouvert la porte et elle est restée sur le seuil
à me regarder.

Elle m'a demandé : « Est-ce que tu vas bien ? »

« Ouais. »

Elle s'est approchée un petit peu plus.

« Tu n'as pas l'air trop bien. »

Elle se tenait sur un pied, appuyée contre le
chambranle de la porte, ses cheveux noirs lui tombaient sur le visage. Elle avait l'air si rose et si solide
que j'avais envie de la frapper.

Je lui ai crié : « Laisse-moi tranquille ! Je vais
bien. Allez, dégage maintenant ! »

« Je vais chercher Maman », a-t-elle répondu
avant de disparaître. J'ai gémi en enfouissant ma tête
dans mon oreiller. Je n'avais pas envie de me retrouver encore devant Maman.

J'ai entendu quelqu'un entrer dans la chambre
puis j'ai senti le lit bouger quand elle s'est assise près
de moi. Je n'ai pas relevé la tête de sous l'oreiller.

« Sam ? » m'a demandé Maman. « Sam ? Est-ce que tu te sens bien, mon chéri ? »

« Ouais ! ça va ! »

Maman a lissé doucement les cheveux qui me tombaient sur le front. Je me suis écarté d'un coup.

« Est-ce que ça t'a fait mal ? »

« Non ! »

Elle m'a touché l'épaule. J'ai poussé un cri.

Maman a soupiré. « Peut-être qu'on devrait appeler Annie… »

« Laisse-moi tranquille ! » ai-je hurlé, furieux. Et puis, comme je savais qu'elle allait continuer à vouloir discuter, j'ai ajouté : « Je veux aller voir Félix. »

Maman a retenu son souffle. Pendant un moment, elle n'a rien dit. Puis elle a articulé lentement : « Je ne pense pas que ce soit une très bonne idée. »

J'ai insisté : « Je veux y aller. »

« Je sais mais… ça pourrait te bouleverser de voir quelqu'un de mort. Et en plus tu n'es pas très en forme. Tu ne crois pas que ça serait mieux de te souvenir de lui comme il était avant ? »

J'ai crié : « Non ! Non ! » J'ai détourné la tête. Pendant tout ce temps, je me disais : « Mais pourquoi je ne peux pas le voir ? À quoi est-ce qu'il ressemble ? Qu'est-ce que ça a de si terrible ? »

« Tu dois me laisser aller le voir », ai-je repris. « Si tu m'empêches de le voir, je vais aller encore moins bien. »

Maman a pris une profonde inspiration. Elle me suppliait presque : « Sam. Ne nous disputons pas. S'il te plaît. Pas maintenant. »

« Je ne me dispute pas. C'est toi qui cherches la bagarre. Si tu me laissais y aller, on serait pas obligés de se disputer. »

Maman était très pâle. Ses lèvres serrées formaient une fine ligne rose.

« Bon », a-t-elle repris. « Si c'est ce que tu penses, tu en as le droit. Je n'ai pas la force de me disputer avec toi. »

À ce moment, je la détestais. Je la détestais vraiment. Je la détestais pour ce regard triste et fermé qui était de ma faute, je le savais. Je la détestais de ne pas m'avoir laissé gagner. Je la détestais parce que j'étais terrorisé par ce qui était arrivé à Félix et par ce dont personne ne m'avait jamais parlé. »

« Tu es obligée de faire ce que je dis », ai-je continué, furieux. « Tout le monde doit m'obéir parce que je vais mourir et après vous allez tous le regretter. »

Maman est restée assise, parfaitement immobile, les lèvres serrées. Pendant un moment, aucun de nous deux n'a bougé. Puis elle s'est tournée et elle a couru hors de la chambre.

J'ai serré les dents et j'ai enfoui ma tête dans l'oreiller. Je pensais : « Bien fait. Bien fait pour elle. Elle a eu ce qu'elle méritait. » Mais je ne me sentais pas mieux.

Je me sentais juste malheureux.

Et en colère.

Et seul.

Je suis resté étendu dans mon lit pendant encore un long moment, à écouter. J'ai entendu la voix inquiète d'Elsa.

« Mais qu'est-ce qui se passe ? Maman ? Maman, qu'est ce qu'il y a ? »

J'ai aussi entendu Maman et Papa discuter et surtout Maman qui pleurait sans s'arrêter. Je crois qu'après j'ai dû m'endormir parce que, plus tard, j'ai entendu la voix de Mamie alors que je ne me souvenais pas d'avoir entendu la sonnette de l'entrée.

« Oh, par pitié ! » C'est ce qu'elle a dit, très fort. Et puis : « Et alors, pourquoi est-ce qu'il n'irait pas si c'est ce qu'il veut ? » Puis Papa a murmuré quelque chose.

Un peu après, Mamie est venue dans ma chambre et s'est assise sur le bord de mon lit.

« Ta mère a discuté avec Gillian », a-t-elle commencé. « Elle a dit que tu pouvais aller voir Félix cet après-midi si tu te sens assez en forme. »

« Je me sens assez bien. »

Elle a pris un air désapprobateur. « Tu vas devoir faire mieux que ça, mon gars. Tu as l'air du bébé qu'on aurait jeté avec l'eau du bain. Et si tu commençais par manger quelque chose ? On verra bien, après. »

J'avais réussi à me redresser sur les coudes mais, quand elle a dit ça, je me suis effondré en arrière sur le lit.

« J'ai pas faim. » C'était vrai, je n'avais pas du tout faim. Je n'avais plus la nausée mais je me sentais vide, comme si mon estomac s'était ratatiné à l'intérieur de moi. Mamie m'a regardé.

« Je ne veux pas voir ce genre de comédie. Ta pauvre mère est morte d'inquiétude pour toi. Elle souffre assez comme ça pour ne pas avoir en plus à supporter ton cinéma. »

C'était si injuste que je me suis relevé d'un coup en criant :

« Je ne fais pas de cinéma ! »

Mamie m'a fait un signe de tête rapide. « Je préfère ça. Je vais aller te trouver quelque chose à manger. »

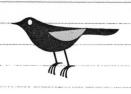

QUESTIONS AUXQUELLES
PERSONNE NE RÉPOND JAMAIS

n° 5

À quoi ressemble un mort ?
Et qu'est-ce qu'il ressent ?

Le 9 février
Les impacts de balles

Mamie m'a emmené elle-même à la morgue avec sa camionnette de jardinage. Il y a juste une place assise devant, à côté d'elle, parce que le reste de la camionnette est rempli de bêches, de grillage et de gros sacs de sable. Sur le pare-brise il y a les impacts de balles autocollants que j'ai offerts à Mamie pour Noël. Tout vibre quand on roule trop vite.

Et Mamie roule toujours trop vite.

Pourtant, on a mis des heures pour arriver. Plus on approchait, plus je me sentais nerveux. Ma nervosité gonflait comme un ballon sous mes côtes. Elle descendait en fourmillements le long de mes bras et faisait battre mon cœur de plus en plus fort comme s'il allait exploser.

Quand on y est enfin arrivé, la morgue ne ressemblait pas du tout à ce que j'avais imaginé. Elle était très chic. Un peu comme la réception au travail de Papa. Il y avait une moquette rose et un bureau avec une femme dans un costume bleu foncé et des photos de fleurs dans des cadres roses sur les murs. Quand Mamie a dit le nom de Félix à la dame, elle nous a guidés le long d'un grand couloir où il y avait plein de portes brillantes. Je me suis rapproché de Mamie. Elle m'a fait un sourire.

Je me demandais s'il était trop tard pour changer d'avis.

Enfin, la dame s'est arrêtée devant une des portes et l'a déverrouillée.

« Voilà, c'est ici », a-t-elle dit à Mamie. « Faites-moi signe quand vous voudrez partir. »

Mamie a hoché la tête. « D'accord. » La dame a souri et elle est repartie dans le couloir. « Merci ! » lui a lancé Mamie. Elle s'est retournée et nous a fait un signe de la main.

Mamie et moi, on s'est regardés.

« Il est encore temps de renoncer avec les honneurs », m'a t-elle dit.

J'ai fait non de la tête.

« Tu es sûr ? »

J'ai hoché la tête. Elle m'a serré l'épaule.

Elle a dit : « C'est bien, jeune homme », et elle a ouvert la porte.

La pièce était petite et très claire. Il y avait des murs blancs, une autre photo de fleurs roses et une sorte de lit avec Félix dessus. Mamie s'est avancée, sans bruit. Je suis resté derrière, immobile. Elle n'a rien dit, ni à moi ni à lui. Elle s'est simplement tenue là, à regarder. Je me suis rapproché doucement jusqu'à ce que j'arrive juste à côté d'elle, puis j'ai baissé les yeux.

Félix était allongé sur le dos. Il portait son vieux T-shirt de Green Day tout délavé et son béret noir de la Résistance française. En fait, il ressemblait à Félix, à un Félix endormi, sauf qu'il était trop raide et immobile pour être endormi. Il était plus propre et mieux coiffé que jamais et il avait les yeux fermés.

Je me suis penché pour lui toucher l'épaule à travers le T-shirt. Puis je l'ai touché vraiment, sur la joue, sur sa peau.

Il était très froid. Pas froid comme les doigts dans la neige qui sont en fait encore chauds sous la peau. Froid comme une pierre, comme les vieilles statues de chevaliers dans les cathédrales qui n'ont plus aucune chaleur en elles.

Je me suis rendu compte que j'avais espéré qu'ils avaient fait une erreur. Ils en avaient peut-être fait une à un moment mais, maintenant que j'étais là, je me rendais compte qu'il n'y avait pas eu d'erreur. Il était tellement immobile, tellement silencieux. Il ressemblait vraiment à Félix mais il n'y avait plus personne en lui. Je ne sais pas où il était à ce moment-là, mais il n'était pas ici avec moi.

J'avais pensé qu'il serait un peu effrayant, mais non. Il était juste silencieux et vide.

Je me suis encore endormi sur le chemin du retour, recroquevillé sur le siège avant de Mamie, les pieds posés sur un sac de bulbes de tulipes. J'étais si fatigué que j'ai dormi jusqu'à la maison. Quand je me suis réveillé, c'était déjà l'après-midi. J'étais allongé dans mon lit, Mamie était partie et il pleuvait.

L'histoire de l'homme
qui a pesé l'âme humaine

Voici une histoire que j'ai lue dans un livre. C'est une histoire vraie.

En 1907, un chirurgien du nom de Duncan Mac-Dougall a décidé qu'il trouverait combien pèse une âme humaine. Il a donc fabriqué un lit spécial posé sur une balance.

Il a installé l'un de ses patients sur le lit et l'a pesé pendant qu'il était en train de mourir. Il a raconté que l'homme devenait de plus en plus léger, tout doucement, à cause de la transpiration qui s'évaporait. Et puis à un moment il meurt et BONG ! le plateau de la balance est remonté d'un coup. Le Dr MacDougall a expliqué qu'au moment de sa mort l'homme avait perdu vingt et un grammes.

Quand j'ai appris cette histoire, je suis allé chercher la balance de la cuisine pour voir à quoi correspondaient vraiment vingt et un grammes. J'ai été un peu déçu. D'après le Dr MacDougall, l'âme humaine pèse autant que quatre crayons et demi. Ou trois cartes de vœux*. Ou un coupe-papier en bois, une page d'autocollants et un stylo argenté vide.

Ce qui n'est pas beaucoup.

De toute façon, le Dr MacDougall a recommencé son expérience avec trois autres patients. Une fois, le patient a perdu moins de poids que pendant la première expérience et les deux autres fois, ils ont perdu un peu de poids au début et un peu plus après. Puis le Dr MacDougall a recommencé ses tests avec quinze chiens et aucun d'entre eux n'est devenu plus léger. Il a dit que cela prouvait bien qu'il calculait le poids des âmes parce qu'il ne pensait pas que les chiens avaient une âme. Mais il y a eu beaucoup de problèmes avec cette expérience. C'est vraiment très dur de savoir précisément quand quelqu'un est mort. Et six patients, ce n'est pas assez pour un test sérieux. Et aussi sa balance n'était pas très précise. Et puis il

----
* Oui, les cartes de vœux sont plus lourdes que les crayons. Essayez de les peser vous-même et vous verrez bien.

pouvait y avoir plein de raisons qu'il ne connaissait pas pour expliquer ce qui s'était passé.

Pourtant, depuis, personne n'a réussi à expliquer pourquoi les patients étaient devenus plus légers. Ce n'était pas à cause de l'évaporation de l'eau. Et ce n'était pas non plus parce qu'il n'y avait plus d'air dans leurs poumons, parce que le Dr MacDougall avait essayé de mettre puis d'enlever de l'air des poumons d'un patient et ça n'avait pas changé son poids. Parfois, ils se faisaient pipi dessus, mais ça ne comptait pas parce que leur pipi restait sur le lit et était aussi pesé.

Personne n'a jamais recommencé son expérience (ou alors, je ne l'ai pas trouvé sur Google). Je pense que c'est parce que la plupart des gens n'ont pas trop envie qu'un scientifique vienne les peser pendant qu'ils sont en train de mourir et aussi parce que aujourd'hui on doit demander la permission aux gens avant de leur faire des trucs.

Donc personne ne sait. Il avait sans doute tort.

Mais s'il avait raison ?

Et s'il avait prouvé qu'on a bien une âme ?

Le 10 février

Annie

Quand Annie est revenue pour me donner des plaquettes, elle est restée à discuter avec Maman pendant des heures. Puis elle s'est assise près de moi.

J'étais blotti dans le canapé avec Colombus, en
train de regarder *Pirates des Caraïbes* en malaxant ma
poche de plaquettes. Annie voulait me parler.

« Salut, toi », a-t-elle commencé.

« Salut. » Je n'ai pas quitté la télévision des yeux.

« Ta mère dit que ça n'a pas été la grande forme
ces derniers temps. »

« Ça va. »

Annie n'a pas insisté. « Elle m'a aussi dit que tu
es allé voir Félix. »

Je n'ai pas répondu.

« Est-ce que tu veux en parler ? »

J'ai continué à fixer la télévision. Annie s'est calée dans le canapé. On a regardé le film pendant quelque temps comme si c'était la seule chose qui nous importait.

Je ne me suis pas fait avoir, mais il y avait vraiment quelque chose que je voulais lui demander.

« Annie… »

« Mmm ? »

« Quand on enterre quelqu'un… est-ce qu'il y a parfois des erreurs ? Par exemple, est-ce qu'il y a des fois des gens qui sont enterrés vivants ? »

Annie a tourné la tête et elle m'a regardé. Elle a dit : « Oh, non, Sam. Les docteurs font très attention. Ils vérifient toujours le pouls et la tension avant de déclarer que quelqu'un est mort. »

Je me sentais mal à l'aise. Le chat a miaulé doucement. « Je sais, mais… et s'ils faisaient quand même une erreur ? »

Annie s'est penchée pour caresser le chat. Il était chaud et lourd sur mes genoux. « C'est très difficile de faire une erreur, surtout si la personne est morte depuis plusieurs heures. Les corps prennent un aspect très différent après la mort. Ils deviennent très pâles et froids. Et les muscles se raidissent, comme les morts-vivants dans les dessins animés. »

Ça, je le savais déjà. C'est Félix qui me l'avait expliqué. « Mais des fois, les gens se réveillent, n'est-ce pas ? » lui ai-je demandé.

« Pas après quinze minutes. Je te promets, Sam, le cerveau ne peut pas survivre aussi longtemps sans oxygène. »

« Ouais... ça, je le savais déjà. » J'ai bâillé. « Je voulais juste être sûr. »

À la télévision, les pirates squelettes étaient occupés à saccager la ville. J'ai posé ma tête contre l'épaule d'Annie et on a regardé la suite ensemble.

QUESTIONS AUXQUELLES
PERSONNE NE RÉPOND JAMAIS

n° 6

Après tout, pourquoi on serait
obligés de mourir ?

Le 12 février
L'enterrement

Aujourd'hui c'était l'enterrement de Félix. J'y suis allé avec Maman et Elsa.

Je n'étais jamais allé à un enterrement, donc je ne savais pas à quoi m'attendre. J'avais imaginé des gens en train de pleurer et tout le monde habillé en noir. Félix aurait aimé ça. Il adorait le noir. Il aurait déguisé tout le monde en gothique avec du maquillage et du vernis à ongles noir. C'est dommage qu'on n'y ait pas pensé, juste pour voir tous les vieux de sa famille habillés comme ça. On n'était pas habillés en noir. Elsa portait la jupe flottante qu'elle avait eue pour le mariage de mon cousin et des sandales avec des fleurs orange vif dessus. Maman ne voulait pas qu'elle porte ça, mais elle a refusé de se changer.

« Mais, Elsa, tu vas geler dans cette grande église. »

« Je m'en fiche. » Elsa s'est assise dans le fauteuil de Papa et elle a croisé les bras pour montrer qu'elle n'allait pas bouger. « Je veux porter quelque chose de joli. » Et c'est ce qu'elle a fait.

Avec un gros manteau.

Papa n'est pas venu. Il est parti travailler, comme d'habitude. Il n'a même pas signé la carte qu'on avait achetée.

Il y avait beaucoup de monde dans l'église. Il y en avait plein que je n'avais jamais vu, mais j'en connaissais quelques-uns. Il y avait Mickey et le père de Félix, qui vit dans une ferme et a beaucoup de cheveux et puis qui joue du didgeridoo, mais pas dans les églises. Il y avait aussi Kelly, qui se tenait tout près de son père. Et le Dr Bill, très bien habillé. Même Mademoiselle Willis était là. Elle était assise de l'autre côté de l'église, mais elle a souri spécialement pour moi quand on est entrés. Elle ne portait pas de noir elle non plus.

L'enterrement a été très bizarre. Tout le monde chantait des chants religieux. Elsa s'est mise très en colère quand ils ont commencé à chanter. Avec sa grosse voix bien forte, elle a dit : « Mais Félix ne croyait pas en Dieu ! »

« Elsa », a soufflé Maman.

« Mais c'est vrai, il y croyait pas ! » a répété Elsa.

« Chut ! » Maman est devenue toute rouge. Elle a jeté un regard à la vieille dame assise à côté de nous, en se demandant sans doute si elle était la grand-mère de Félix. « Si vous ne pouvez pas vous tenir correctement, je vous sors d'ici. »

« Mais… », a dit Elsa.

La vieille dame s'est penchée devant Maman. « Tu as raison, ma chérie », a-t-elle dit à Elsa. « Mais on ne peut rien dire. Tu ne voudrais pas que le prêtre se mette à pleurer, n'est-ce pas ? »

Elsa a été si surprise qu'une inconnue lui adresse la parole qu'elle s'est tue d'un coup. Mais elle n'a chanté aucun des chants. Et moi non plus. Pas parce que je croyais que c'était débile, mais parce que Elsa avait raison. Félix n'aurait pas voulu de chants religieux. Il aurait voulu… Green Day, ou un truc dans le genre. Il aurait voulu que tous les vieux de sa famille chantent du Green Day. Et puis que son père joue du didgeridoo.

Après les chants, le père de Félix s'est levé pour dire quelques mots. Il a raconté à quel point Félix était courageux et joyeux et ne se plaignait jamais de rien.

Ça, c'était faux. Félix était courageux mais il se plaignait tout le temps quand on était à l'hôpital. On faisait plein de plans pour savoir comment on allait réussir à lancer des grenades sur toutes les infirmières. Puis le père de Félix s'est mis à raconter des histoires sur l'époque où Félix était tout petit, ce qui est j'imagine la période où il l'a connu le mieux puisqu'il vivait encore avec sa mère à ce moment-là. Mais bon, toutes ces histoires étaient un peu débiles. Félix n'était pas un petit garçon adorable et il n'était pas non plus un enfant héros. Il faisait des caprices comme tout le monde.

Elsa n'a pas plus aimé le discours du père de Félix que les chants. Elle a commencé à s'endormir. Elle a glissé de plus en plus sur le banc, de plus en plus bas jusqu'à ce qu'elle se retrouve sur le sol d'où elle n'était pas obligée de regarder le père de Félix. Maman ne savait pas quoi faire. On voyait qu'une partie d'elle avait envie de dire à Elsa de se relever tout de suite et que l'autre se disait qu'au moins, si elle restait cachée sur le sol, elle ne dirait plus de grossièretés sur l'enterrement.

Elsa a pris ses jambes entre ses bras et elle a posé la tête sur ses genoux. Elle avait l'air si triste et si fatigué que je me suis laissé glisser moi aussi de mon banc pour m'asseoir sur le sol.

On était bien sur par terre. On n'était pas obligés de regarder les fleurs posées sur le cercueil ou tous ces gens horribles en costume noir. Elsa a tourné la tête pour me regarder. Son visage était pâle et son front avait une marque rouge à l'endroit où elle l'avait appuyé contre ses genoux. Ses petits doigts de pied nus étaient tout blancs à cause du froid.

« Félix aurait trouvé ça débile », lui ai-je murmuré. Elle m'a fait un tout petit sourire.

J'ai continué, tout bas : « On aurait dû écrire le discours tous les deux. Félix était super-bon pour les blagues et pour mettre le bazar partout. Il aimait commander et que tout le monde l'écoute et aussi avoir toujours le dernier mot. »

Elsa a souri. « Il aimait les ours Haribo », a-t-elle murmuré, « et discuter. »

« Et gagner les discussions, oui ! Et faire des choses qu'il n'avait pas le droit de faire. Comme fumer des cigarettes. »

« Il était trop fort pour faire des chatouilles », a dit Elsa. Tout à coup, j'ai revu Félix à l'hôpital, là où on s'est rencontrés pour la première fois, avec Elsa qui se tortillait sur lui pendant qu'il la chatouillait jusqu'à ce qu'elle crie. Je me suis senti très fatigué.

J'ai chuchoté : « Il avait beaucoup d'idées. Et

puis il inventait plein de jeux. Il pensait que tout était possible. »

« Il pouvait tout réussir », a murmuré Elsa. Elle a poussé un petit soupir puis elle a posé la tête contre mon épaule et elle a fermé les yeux.

Ce qui s'est passé
ces derniers jours

Je n'ai rien écrit dans ce livre pendant plusieurs jours, mais il ne s'est rien passé depuis longtemps. On est allés voir ma tante Nicole pour un week-end.

Les amis de Maman, David et Sue, ont passé quelques jours à la maison et on est allés visiter *Le Monde des papillons* à côté du zoo.

Mamie nous a emmenés, Elsa et moi, voir le spectacle du *Roi Lion*. Voilà. C'était la routine.

Tout est plus difficile que d'habitude. Maman est devenue très sensible sur le fait de prendre ses repas ou bien de porter un bonnet et une écharpe. Papa a grondé Elsa pour avoir été de mauvais poil au *Monde des papillons* et il l'a fait pleurer. En plus il a fait très humide et gris dehors.

Aujourd'hui, pourtant, il s'est passé quelque chose. Aujourd'hui, j'ai envie d'écrire.

Le 2 mars

Il a neigé !

Quand je me suis réveillé ce matin, le monde entier avait changé. Même le soleil était plus lumineux. Il y avait plein de petits ronds de lumière blanche qui dansaient sur le mur de ma chambre. Et quand j'ai ouvert ma fenêtre, je ne pouvais pas détacher mes yeux de ce que je voyais. Notre rue, les autres maisons, le jardin... c'était comme si tout avait été passé à la machine et en était ressorti blanc et étincelant.

Maman, Elsa et Papa étaient en train de prendre leur petit déjeuner quand je suis entré en trombe.

« Il a neigé ! » ai-je annoncé.

« Merci, on a remarqué... », a répondu Elsa. Elle a mis sa cuillère dans la bouche et elle l'a sucée en me regardant par-dessus le manche, « ... gros débile. »

Je l'ai ignorée. Elsa avait été vraiment bizarre ces derniers temps. Elle se comportait comme un bébé ou se mettait à pleurer ou à se disputer sans raison avec les gens.

J'ai demandé : « Est-ce qu'on peut aller faire de la luge ? »

Maman m'a regardé de haut en bas. Puis elle a dit d'un ton calme : « Je ne vois pas pourquoi on ne pourrait pas. »

Elsa a lâché sa cuillère dans son bol, éclaboussant tout autour.

« Est-ce que je peux venir, moi aussi ? »

« Ne sois pas bête », a dit Papa. Il n'a même pas levé les yeux de sa tartine. « Tu dois aller à l'école. »

Elsa lui a jeté un regard mauvais. Elle a envoyé un coup de pied dans la table. Papa a continué de manger comme si elle n'était pas là. « C'est trop injuste ! » a hurlé Elsa.

« Tu as raison », a dit Maman alors qu'on ne s'y attendait vraiment pas. « Bien sûr que tu peux venir, Elsa. »

« Non, elle ne peut pas. » Papa a levé la tête.

« Et pourquoi pas ? » a demandé Maman. Elle l'a regardé droit dans les yeux, mais sa main s'est resserrée contre sa cuillère. « On n'aura peut-être pas de neige une autre fois cette année. Ça nous fera du bien de passer une journée ensemble pendant que Sam est encore… en bonne forme. »

J'ai jeté un coup d'œil rapide à Papa. Il a tourné les yeux. « On ne peut pas tout laisser en plan. » On voyait bien qu'il n'aimait pas parler comme ça. Il a enlevé ses lunettes et il s'est mis à les essuyer avec la nappe. « On doit encore essayer de… de… Je dois aller au travail. »

« Non, tu n'es pas obligé », a répondu Maman. Avec Elsa, on l'a regardée. Papa va toujours au travail. Il a même continué à travailler quand je suis allé à l'hôpital l'année dernière. Dire qu'il n'était pas obligé d'y aller, c'était comme dire qu'on n'était pas obligé de manger, ou de s'habiller. « Tu as une équipe, n'est-ce pas ? Tu n'es pas obligé d'y aller tous les jours. En fait, je ne vois pas pourquoi toi aussi tu ne pourrais pas venir faire de la luge avec nous. »

Papa s'est mis à crier : « Vous n'allez pas faire de luge ! » Il a frappé le plat de sa main contre la table. Elsa et moi, on a sursauté. « Sam est malade, bon Dieu ! De toute façon, tu ne devrais même pas l'emmener dehors par ce temps ! »

Les yeux d'Elsa sont devenus tout ronds et apeurés. Maman et Papa ne se disputent presque jamais.

Et quand ils se disputent, Papa ne crie pas. La plupart du temps, il se contente de dire : « On ne va pas parler de ça » et, après, il sort de la pièce. Et la plupart du temps, Maman n'ajoute rien. Je ne l'avais jamais vue l'affronter comme ça. C'était comme si elle était devenue quelqu'un d'autre.

J'ai cru qu'elle allait crier elle aussi, mais non. Elle a juste regardé Papa avec un air bizarre et elle lui a demandé : « Et qu'est-ce que tu crois que ça va changer ? Allez, explique-moi. »

La bouche de Papa a bougé mais aucun mot n'en est sorti. Ses yeux allaient et venaient dans la pièce, depuis ses lunettes sur la table, à la photographie de la famille accrochée au mur et jusqu'à moi. Ils se sont posés sur moi. Il m'a fixé comme s'il ne m'avait jamais vu avant. Je l'ai fixé moi aussi. Je ne savais pas quoi dire.

« Tu vois », a dit Maman, avec douceur.

« Non », a répondu Papa. Il s'est tourné vers Elsa. « Elsa, va chercher ton manteau. Je t'emmène à l'école. »

« Nooonnn ! » a hurlé Elsa.

« Je l'emmènerai, moi », a dit Maman. Elle s'est retournée et elle est sortie de la pièce. Elsa a glissé de sa chaise et lui a couru après. Moi, j'ai continué à regarder

Papa finir sa tartine en silence pendant que Maman et Elsa faisaient du bruit en rassemblant leurs affaires. Puis la porte de l'entrée a claqué et la maison est redevenue silencieuse.

Et on est restés là, juste nous deux. Papa s'est raclé la gorge. J'ai attendu.

Il m'a demandé : « Tu... tu te sens bien, n'est-ce pas, Sam ? »

« Oui. » Qu'est-ce que je pouvais dire d'autre ?

« Bien sûr que tu te sens bien », a repris Papa. Il m'a tapoté l'épaule maladroitement. « C'est bien, mon petit gars. » Puis il est parti chercher son manteau.

Après son départ, je me suis assis à la table et je me suis demandé ce qui allait se passer maintenant. J'étais toujours à la même place quand Maman est revenue. Elle a regardé dans la pièce et elle a mis un doigt sur ses lèvres.

« Il est parti ? »

« Oui. » Elle a disparu. Je l'ai suivie, curieux. Elle a ouvert la porte de l'entrée. Elsa était là, dans son gros blouson, avec son cartable sur l'épaule.

Maman lui a dit : « Cours t'habiller pendant que je sors les luges. » Elle a hésité, puis elle m'a souri soudain, de son large sourire que j'avais presque oublié.

On aurait dit que le soleil était sorti de derrière les nuages. « Et ne dis rien à ton père. »

Je ne pouvais pas m'empêcher de m'en faire pour Papa, tout le long du chemin qui nous conduisait au parc. J'avais l'impression qu'on l'avait trahi en allant jouer dans la neige alors qu'il nous avait interdit d'y aller. Mais je ne savais pas quoi faire d'autre. Maman avait raison. C'était peut-être notre dernière chance de faire de la luge ensemble. Je ne pouvais pas ne pas y aller.

Mais quand même, j'aurais aimé que Papa soit là aussi.

Il n'y avait absolument personne d'autre sur la colline. Même pas les tout petits enfants trop jeunes pour aller à l'école. Toutes les autres fois où j'y étais allé, la colline était couverte d'enfants et, cette fois-ci, le vide tout blanc était presque effrayant. On ressentait une drôle d'impression d'attente, comme si le monde entier était en train de retenir son souffle.

Maman a demandé : « Qui veut y aller en premier ? Ou alors vous y allez en même temps ? »

Je n'arrivais pas à croire qu'elle allait vraiment me laisser dévaler la colline. En temps normal, elle aurait tout le temps eu peur que je me fasse mal. Mais je n'ai pas discuté. Elsa et moi, on a tous les deux notre propre luge en plastique. On s'est assis dessus en même temps.

« Un », a dit Maman, « deux, trois, c'est parti ! »

J'ai poussé sur mes pieds et j'ai lancé tout mon corps en avant comme sur une balançoire. Au début, la luge ne voulait pas avancer, puis, tout d'un coup, elle a commencé à glisser. D'abord doucement puis de plus en plus vite. Je sentais le vent souffler contre mes joues et le froid qui passait à travers mes gants. Et je voyais aussi la haie au pied de la colline avec, derrière, la grande courbe que faisait la rivière. J'ai pensé : « Je n'ai jamais ressenti ça de ma vie. Jamais. Je veux que ce moment dure toujours. » Mais la haie se rapprochait de plus en plus… alors j'ai planté mes pieds dans la neige et la luge s'est arrêtée juste à temps et puis voilà, c'était fini. Elsa a glissé derrière moi. Elle avait les joues rouges et les yeux brillants.

Elle a crié : « Encore ! »

On a remonté nos luges en les tirant jusqu'en haut de la pente et on est redescendus les pieds en avant, puis la tête en avant, sur le ventre, sur le dos, en regardant le ciel qui tressautait dans tous les sens au-dessus de nous, et puis à deux sur la même luge. On se réchauffait tellement dans nos manteaux qu'on a enlevé notre bonnet, notre écharpe et nos gants et qu'on les a mis en pile à côté de Maman. Elle se tenait au sommet de la colline et nous regardait. Elle a pris des photos : Elsa et moi sur nos luges, Elsa et moi en train de dévaler la colline, Elsa et moi ensemble.

Et puis elle aussi elle est descendue sur la luge d'Elsa, même si elle a dit en rigolant : « Je suis trop vieille pour ça. »

« On n'est jamais trop vieux pour faire de la luge ! » lui a dit Elsa en lui faisant un câlin.

Au bout d'un moment, je me suis fatigué et mes os ont recommencé à me faire mal. Je suis donc allé au sommet de la colline pour regarder Elsa avec Maman. Il y avait d'autres gens autour de nous, maintenant : une dame avec deux chiens et un grand-père avec son petit-fils sur une luge. Notre magnifique pente enneigée était toute cabossée par les traces de luges et les empreintes de pas. Je savais bien qu'on ne pouvait pas éviter de l'abîmer, mais je me disais quand même qu'on n'aurait pas dû. Il s'est remis à neiger.

« Elsa ! » a appelé Maman. « Allez, viens, on rentre ! »

On est allés dans la cafétéria du parc, celle qui a un toit en verre et on a eu droit à un chocolat chaud chacun et même à des marshmallows. Elsa a bu le sien avec des grands « slurp ! » et elle s'est fait une moustache de crème. Je l'ai imitée parce qu'elle avait l'air tellement bête. Maman nous souriait. Elle a demandé à une serveuse de nous prendre en photo tous les trois. On s'est assis l'un à côté de l'autre, en silence.

Tout à coup, Elsa a dit : « Félix aurait adoré ça. »

On s'est regardés bizarrement.

« Oui », a répondu Maman. Elle n'avait pas l'air de trouver ça étrange qu'Elsa parle de lui. Elle m'a souri et elle a tendu les mains pour me serrer les doigts. « Il aurait vraiment aimé. »

Elsa a hoché la tête et a continué à siroter son chocolat.

Après un petit moment, elle s'est levée pour aller regarder les vieilles affiches de café accrochées derrière le comptoir. Maman est partie payer l'addition. Moi, je suis resté près de la baie vitrée pour regarder le parc. La neige tombait très fort maintenant, des millions et des millions de flocons doux comme de la plume qui tourbillonnaient encore et encore, devant et derrière moi. Je les ai regardés tomber. Ils s'installaient dans les cicatrices faites par les luges, dans les trous creusés par nos pas, recouvrant tous nos dégâts pour que tout soit de nouveau propre et neuf.

QUESTIONS AUXQUELLES
PERSONNE NE RÉPOND JAMAIS

n° 7

Où est-ce qu'on part
quand on est mort ?

Le 3 mars

Ce qui s'est passé
en plein milieu de la nuit

Quand il est rentré à la maison, Papa n'a pas dit un mot sur la luge. Maman non plus. Ils ont tous les deux fait comme si ce matin n'avait jamais existé.

J'étais blotti dans le canapé avec mon gros livre sur les dirigeables. Le feu était allumé dans la cheminée. Dehors, de la poussière s'était posée sur les tas de neige dans l'herbe. Tout était calme, silencieux et endormi.

Papa est venu s'asseoir près de moi. Il n'a rien dit. Il a ouvert son journal et il l'a regardé avec attention. Puis il l'a refermé.

« Est-ce que tu voudrais faire une partie de quelque chose ? On se fait un concours de tirs au but ? »

Je l'ai regardé. On n'avait pas joué au foot depuis super longtemps. Dehors, il faisait noir et très froid.

« J'ai pas vraiment envie maintenant. Je suis très fatigué. » Il a hoché une ou deux fois la tête. « Excuse-moi, Papa. »

« C'est pas grave. » Du regard, il a fait le tour de la pièce comme ce matin. Il s'est arrêté devant mon livre sur les dirigeables. Il s'est raclé la gorge. « Ah, voilà. Je crois que j'ai lu quelque chose à propos d'un dirigeable dans la région des lacs. Tu veux que je te raconte ? »

Je voulais bien. Il a farfouillé dans les grandes pages du journal pour trouver celle qu'il cherchait. « Là, c'est ça. »

Il a lissé la page avec sa main et il s'est mis à lire.

Cette nuit-là, la nuit dernière, je n'ai pas pu dormir. Je n'arrêtais pas de faire des rêves bizarres et de me réveiller sans savoir si j'étais encore endormi ou non. Et mes os me faisaient très mal. Au début, je ne m'étais pas aperçu qu'ils me faisaient mal parce que la douleur était mélangée avec les rêves et le sommeil. Mais, à un moment, je me suis réveillé complètement emmêlé dans mes draps, j'étais en train de pleurer et je ne savais pas pourquoi et puis mon Papa est arrivé.

D'habitude, c'est Maman qui vient. Je n'ai pas compris pourquoi cette fois c'était Papa. Il s'est penché au-dessus de mon lit et il m'a demandé : « Sam ! Sam, est-ce que ça va ? », mais je ne pouvais pas m'arrêter de pleurer et de me tordre dans tous les sens parce que je n'arrivais vraiment pas à comprendre ce qui se passait.

Il a mis sa main sur mon bras et je lui ai envoyé un coup de poing qui a fait tomber ses lunettes de son nez. Il a plaqué ses mains sur mes épaules et il m'a dit : « Sam. Sam. Réveille-toi. Réveille-toi. Je suis là. Réveille-toi. » Et alors je me suis réveillé et j'ai vu que c'était lui qui était à côté de moi. Je me suis arrêté de pleurer si fort parce que je voyais qu'il avait l'air solide et bien réel.

Il m'a demandé : « Qu'est-ce qui se passe ? Où est-ce que tu as mal ? » et je lui ai dit : « Partout », et je me suis remis à pleurer.

Il a eu l'air paniqué. Il a ouvert la porte de mon armoire et il a commencé à fouiller dedans, à la recherche de mes médicaments. Il y a plein de trucs là-dedans : des cachets, des injections et d'autres que je prenais avant, mais plus maintenant. Papa a sorti encore tout un tas de choses jusqu'à ce que ça fasse une pile sur mon lit.

Je lui ai dit : « C'est une boîte. C'est Maman qui l'avait la dernière fois. »

Papa a juré : « Je sais que c'est une boîte ! » Je me suis penché en dehors du lit et j'ai vu la boîte, sous un pot de salive artificielle qui datait de la dernière fois où j'étais tombé malade.

« Papa. Papa… »

Il ne m'écoutait pas, comme d'habitude. Il était encore en train de fouiller au milieu de tous les autres trucs. J'ai tiré sur sa manche.

« Papa. Ici… »

Il a vu la boîte. Il l'a attrapée et il a commencé à se battre contre le couvercle. Elle s'est ouverte d'un coup et toutes les gélules sont tombées. Papa a juré encore une fois.

J'ai essayé de le calmer : « C'est pas grave. Papa, c'est pas grave. » Il s'est arrêté et il s'est mis à me regarder.

Puis il m'a dit : « Regarde-nous, on dirait que c'est toi le Papa et moi l'enfant, tu crois pas ? »

J'ai roulé en arrière sur mon oreiller et je lui ai souri. Il avait encore l'air nerveux. Il a dit : « Je vais te chercher de l'eau pour avaler ça. Ne bouge pas d'ici, hein ? »

J'ai fait non de la tête.

Il s'est assis sur mon lit et il m'a regardé avaler mon médicament. Quand j'ai eu fini, il a repris le verre et il l'a posé sur ma table de nuit. J'ai pensé qu'il allait repartir se coucher, mais il est resté assis là, à me regarder.

« Est-ce que c'était à cause de ça toutes ces larmes ? »

J'ai secoué la tête. « Non, j'étais en train de rêver. »

« C'est vrai ? » Il s'est penché en avant pour remettre ma couette en place. « Et qu'est-ce que c'était comme rêve ? »

« Oh… » On aurait dit que ça n'avait plus d'importance maintenant. « Je ne me souviens plus. »

Il est resté là, en silence. Puis il a dit :

« Moi aussi, j'étais en train de rêver. C'est pour ça que je me suis réveillé. »

« Et de quoi tu rêvais ? » lui ai-je demandé, tout endormi.

Il s'est frotté le menton. J'ai cru qu'il n'allait pas me répondre ou bien qu'il n'avait pas entendu. J'étais trop endormi pour faire attention. Mais tout à coup… « Je rêvais de toi. » Je me suis tourné vers lui. Il était à nouveau silencieux. « De toi… en train de partir… »

Je suis sûr que je m'étais à moitié endormi parce que, quand j'ai relevé la tête, il y avait des larmes dans ses yeux.

« Papa… Ne pleure pas. » Un peu effrayé, j'ai tendu la main pour toucher la sienne. « Papa. »

Il était vraiment en train de pleurer. Il y avait des traces de larmes le long de ses joues. On aurait dit de petites pistes d'escargots. Je lui ai fait un clin d'œil pour essayer d'arranger tout ça.

« Papa… »

« Sam. » Il a serré ma main. J'ai eu l'impression qu'il allait ajouter quelque chose, mais mes yeux étaient déjà en train de se refermer. Je flottais au loin, par-delà la frontière de la nuit, jusqu'au sommeil.

Liste n° 7

Cinq caractéristiques de Papa :

Voici une page que Papa et moi avons écrite
ensemble aujourd'hui. Ce sont les caractéristiques
de mon Papa.

1 - Il a 39 ans. Il aime les spaghettis
et les petits pois. Il n'aime pas les anchois.

2 - Son mot préféré est orgulus, qui veut dire
arrogant ou splendide. Pourtant il n'est
ni arrogant ni splendide.

3 - Il a un trou dans les cheveux de la taille
d'une grosse pièce. Il dit que c'est de notre faute,
à Elsa et à moi.

4 - Quand il était petit, il voulait être alpiniste.
Il s'apprêtait à grimper en haut de l'Everest
quand il a appris qu'Edmund Hillary y était
arrivé avant lui.

5 - Sa blague préférée est : Pourquoi Mario
Bross ? Pour que Mickey Mouse.

Les dessins
de Papa

Le 4 mars
Surprises

Le lendemain matin, j'ai dormi assez tard. Quand je me suis réveillé, Papa était là.

« Papa ! »

« Qu'est-ce qu'il y a ? » Il a pris un air sérieux. « Est-ce que je n'ai pas le droit de passer un peu de temps avec mon fils ? »

« Mais bien sûr que si ! » Je me suis jeté autour de son cou. Il a eu l'air surpris mais très content. Il m'a fait un câlin en me demandant : « Qu'est-ce que tu aurais envie de faire aujourd'hui ? »

On a passé une super-matinée ensemble. Je n'avais pas envie de prendre un petit déjeuner normal, alors on a mangé des pêches au sirop avec de la glace et des raisins. Et on a mangé tout ça au lit !

Maman était partie voir Mamie et Elsa était à l'école. Papa avait pris un jour de congé juste pour rester avec moi. On a joué aux cartes et on a fait une partie de Risk dans le lit de Papa et Maman et j'ai gagné.

Mademoiselle Willis n'est pas venue mais on a quand même fait l'école. Papa m'a raconté l'histoire du dieu Loki, qui a volé les cheveux de Sif pendant la nuit et qui est allé demander aux nains de lui en fabriquer d'autres. J'avais oublié comme Papa est bon pour raconter des histoires. Il sait prendre plein de voix différentes et il fait même les bruitages.

Après qu'il m'a raconté cette histoire, j'ai pris mon livre pour lui lire le passage sur les escalators. Il l'a tellement aimé que je lui ai aussi lu l'histoire du plateau de divination. Et puis quelques listes.

Il m'a demandé : « Mais où est-ce que tu as trouvé toutes ces histoires ? »

« Sur Internet. Et aussi dans des livres que Mademoiselle Willis a apportés. »

Il était impressionné, alors je lui ai montré mes « *Choses à faire...* »

« Je les ai presque toutes faites », lui ai-je expliqué. Il a eu l'air si surpris que ça m'a fait rigoler. Je lui ai tout raconté. Il ne s'est pas mis en colère, il est juste resté assis à m'écouter.

Il m'a demandé : « Donc, il ne reste plus que le dirigeable et la navette spatiale ? »

« Et devenir un grand scientifique. »

Il a levé les sourcils et a tapoté mon cahier. « Mais est-ce que ce n'est pas de la science, ça ? »

Je n'y avais jamais pensé. Est-ce que toutes mes disputes avec Félix comptaient comme des recherches scientifiques ? Je voulais le demander à Papa, mais Annie est arrivée. Elle a regardé les jeux, les bouts de papier, les livres et les affaires du petit déjeuner en bazar sur le lit, et Colombus blotti au milieu de tout ça et elle s'est mise à rire.

« On dirait que vous avez fait la fête ! »

Elle a donné à Papa de nouveaux médicaments plus forts pour moi. C'était vraiment dommage parce qu'ils m'ont complètement endormi et que j'ai dû me coucher. Papa a dit que c'était pas grave. Il m'a laissé dormir dans le grand lit. Je me suis allongé et je l'ai regardé ranger tout notre bazar.

Au moment où il allait partir, je lui ai demandé : « Papa ? »

Il s'est retourné. « Oui ? »

Je l'ai regardé, debout devant la porte, avec son livre de mythologie nordique sous le bras et ses lunettes de travers.

« Rien. »

Il m'a regardé. Puis il s'est approché du lit et il m'a serré si fort dans ses bras que j'ai cru que j'allais exploser.

« Dors bien, mon fils. »

C'est ce que j'ai fait. J'ai dormi tout l'après-midi. Sauf à un moment où je me suis levé et où j'ai cru entendre Papa parler au téléphone.

« Oui, je le savais déjà. Mais il n'y a vraiment pas d'autres solutions ? »

Je pensais qu'il parlait encore une fois au Dr Bill. Puis il a ajouté: « Je ne voudrais pas interrompre le tournage. »

Le tournage ?

« Oui, un vol assez court… Non… Non, vraiment ? De la lessive en poudre ?… Eh bien, ça vaut la peine d'essayer… Oui… Oui, merci beaucoup. »

Il a raccroché. Je suis resté là, allongé, à me demander ce qui pouvait bien se passer. Est-ce que j'avais rêvé ? Mais j'étais si fatigué que ça n'était plus si important. J'ai fermé les yeux et je me suis rendormi.

Le 5 mars
Une publicité pour de la lessive

Le lendemain matin, Maman était en train de préparer Elsa pour l'école quand le téléphone a sonné. Maman a répondu.

« Allô ? … Oui… *Qui ?*… Il a dit *Quoi* ? »

J'ai roulé sur le lit et j'ai tendu le cou pour pouvoir espionner par la porte de la chambre.

« Daniel ! Il y a un type d'une entreprise au téléphone. Il dit qu'il t'a parlé hier ! »

« Oh, oui… » Papa s'est approché d'elle, un morceau de tartine à la main. Il a pris le téléphone des mains de Maman qui lui a jeté un regard étonné. « Allô ? … Oui… Oui. C'est vrai ? C'est fantastique ! Attendez une seconde… Seize heures, à Legburthwaite… Oui… Oui. Je vous remercie beaucoup… Au revoir. »

Il a raccroché. Maman et Elsa ne le quittaient pas des yeux, et moi non plus.

« Qu'est-ce que c'était ? » a demandé Maman.

« Tu vas jouer dans un film ? » a demandé Elsa.

Papa s'est mis à rire. « Mais non, je ne vais pas jouer dans un film. » Il s'est frotté les mains, comme un magicien qui s'apprête à sortir un lapin de son chapeau. « Le monsieur avec qui j'étais en train de parler s'appelle Stanley Rhode. Il travaille pour une entreprise qui tourne un spot publicitaire à Helvellyn. »

« Une publicité ? » Maman n'en revenait pas.

Papa s'est remis à rire. « Oui, pour de la lessive en poudre. Vous le croyez, vous ? J'ai cru comprendre qu'ils veulent projeter de la lessive en poudre derrière lui et faire des slogans du genre "Vos vêtements seront blancs comme des nuages". »

« Daniel ! » lui a lancé Maman. « Mais de quoi est-ce que tu parles ? Projeter de la lessive en poudre derrière quoi ? »

« Oh. » Papa avait l'air effrayé. « Je ne vous l'ai pas dit ? Mais derrière un dirigeable, bien sûr. »

« Derrière un dirigeable ? » J'ai failli tomber du lit. « Papa ! »

Maman et Papa se sont retournés. « Oh, tu es là ? » a dit Papa. « Oui, hier, j'ai appelé l'association anglaise des dirigeables, et ils m'ont dit que, pour pouvoir faire des vols avec passagers, il fallait aller en Italie ou en Allemagne. Mais quand je leur ai expliqué la situation, ils m'ont donné le numéro de ce type. Il est pilote et il peut nous emmener là-haut aujourd'hui après qu'ils... »

« *Aujourd'hui ???* »

Je ne pouvais pas le croire. Est-ce que c'était une blague ? Papa faisait de grands sourires à tout le monde. Elsa sautait dans tous les sens en lui tirant sur le bras.

« Mais comment on va faire ? » a-t-elle demandé. « Papa ? Est-ce qu'on va quand même à l'école ? Est-ce qu'on va passer à la télé ? »

J'ai dû faire beaucoup d'efforts pour sortir du lit et aller dans l'entrée et je lui ai dit : « C'est bien mieux que ça. Attends, tu vas pas le croire. »

Liste n° 8

Histoires extraordinaires à propos des dirigeables

1 - Le premier dirigeable a été construit en 1784, quand Jean-Pierre Blanchard a adapté une hélice à main sur une montgolfière.

2 - Le premier dirigeable à moteur a été construit en 1852 par un inventeur appelé Henri Giffard. C'était un moteur à vapeur.

3 - L'un des dirigeables les plus célèbres s'appelait l'Hindenburg. C'était une sorte d'hôtel volant, mais il a pris feu en 1937 et il a explosé.

4 - Pendant la Seconde Guerre mondiale, des dirigeables ont escorté près de 89 000 escadrilles de bateaux qui transportaient de la nourriture et plein d'autres approvisionnements. Aucun des bateaux n'a été coulé par les tirs ennemis. Les dirigeables volaient juste au-dessus des sous-marins ennemis pour les bombarder. Ils étaient hyper-efficaces parce qu'ils volaient très lentement et parce que les radars ne pouvaient pas les détecter.

5 - Les dirigeables ne sont pas très bons pour l'attaque mais ils sont excellents en défense.

6 - Un Skyship 600 (celui dans lequel j'ai volé) fait 59 mètres de long et 20,3 de large. Il fait 15,3 mètres de diamètre et le volume de son enveloppe est de 7004 m².

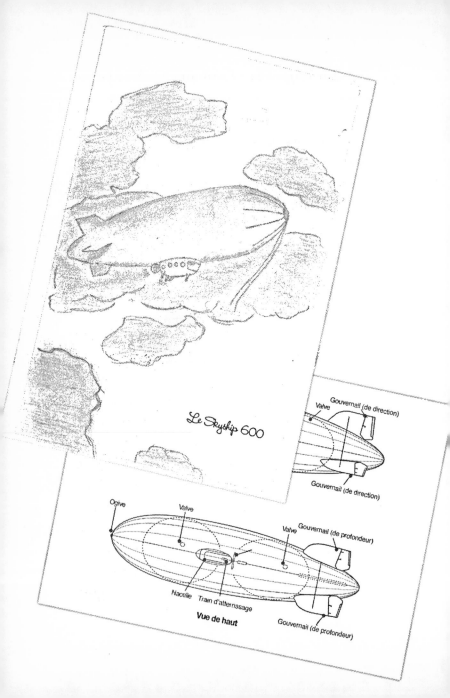

Le Skyship 600

Gouvernail (de direction)

Valve

Gouvernail (de direction)

Ogive

Valve

Valve

Gouvernail (de profondeur)

Nacelle

Train d'atterrissage

Gouvernail (de profondeur)

Vue de haut

Le 6 mars
Parfait

Certaines choses sont parfaites, du début à la fin.

C'est exactement ça l'effet que ça fait, de monter dans un dirigeable.

On a dû rouler presque toute la journée. Il faisait très froid. Le ciel était blanc comme de la crème, sans aucun nuage et juste éclairé par le faible disque d'argent du soleil. La neige avait presque toute fondu maintenant ; il ne restait plus que quelques icebergs gelés sur les bords de l'autoroute. Elsa et moi, on était enfouis sous un tas de couettes et de duvets sur le siège arrière.

Le dirigeable était posé dans un grand champ près de Helvellyn, où plein de gens s'agitaient autour des camions et du matériel. Il était amarré à un camion-grue, qui est une sorte de camionnette avec une grue

au-dessus, à laquelle on peut attacher l'avant du dirigeable. Une vingtaine de personnes étaient en train
de s'en occuper. On a dû attendre super-longtemps
pour qu'ils vérifient les instruments et qu'ils remet-
tent de l'essence dans les moteurs. Puis, Stanley et le
copilote, Raoul, nous ont montré l'intérieur du dirigeable.

L'enveloppe est la plus grande partie d'un dirigeable. C'est une sorte de long ballon à air chaud
en forme de flageolet. Sinon, il y a une cabine au-
dessous qu'on appelle la nacelle. À l'arrière, il y a les
moteurs, au milieu, une cabine avec des sièges pour
les passagers et puis devant, une cabine de pilotage
où vont les pilotes. Dans cette cabine, il y a deux sièges,
plein de cadrans et de compteurs et un volant, qui sert
à se diriger. Stanley et Raoul nous ont laissés, Elsa et
moi, nous asseoir dans les sièges de pilotage et ils sont
restés longtemps à nous expliquer à quoi servaient
tous les boutons et les cadrans. Après, ils nous ont
demandé de retourner dans la partie passagers. On
était les seuls !

Le troisième truc le plus génial avec un dirigeable,
c'est le décollage. D'abord, les moteurs se mettent à
vrombir et on est tout excité. Le bruit devient de plus
en plus fort jusqu'à ce que, tout à coup, le dirigeable

parte vers le haut et, sans qu'on s'y attende, on est rejeté en arrière dans les fauteuils. C'est génial !

Quand le dirigeable a pris assez de hauteur, on a eu le droit d'enlever sa ceinture de sécurité et de se promener dans la cabine. Stanley et Raoul nous ont laissés venir dans la cabine de pilotage pendant le vol. Stanley m'a même passé le volant pour que je le tourne à droite et à gauche. Donc, j'ai piloté un dirigeable pour de vrai ! C'était le deuxième truc le plus génial. Stanley nous a aussi expliqué comment devenir un pilote de dirigeable. Il a dit qu'il avait commencé par piloter des avions, mais qu'après il a essayé les dirigeables et qu'il a préféré, parce que, dans un dirigeable, on peut regarder par la fenêtre et observer les oiseaux qui passent sur les côtés au lieu de juste foncer tout droit sans les voir, comme dans un avion.

« Parfois », nous a-t-il raconté, « des vols de canards nous doublent, se retournent vers nous et rigolent ! »

C'est vrai. LE truc le plus génial dans un dirigeable, c'est ce qu'on peut regarder par les fenêtres. On a le droit de les ouvrir et de se pencher à l'extérieur pour sentir le vent qui souffle très fort sur le visage et dans les cheveux. On voit très nettement, comme si on survolait une photo aérienne : les petites collines, les montagnes et les lacs qui dérivent doucement au-dessous.

Ça fait très bizarre de regarder au-dehors comme ça parce qu'on se sent un peu séparé de tout. On ne peut pas parler aux gens qui sont en bas ni nager dans les lacs, ni grimper sur les collines. Mais en même temps, on a l'impression de faire partie de tout ça. C'est comme si on regardait une image de très très loin, mais sans être en dehors du cadre.

Liste n° 9

Les meilleures choses du monde :

1 - Faire de longues parties de Warhammer avec Félix. Celles où on finit par se bagarrer avec les figurines en oubliant qui est en train de gagner.

2 - Voler dans un dirigeable.

3 - La grande bataille d'eau pendant la classe verte. Tout a été trempé, même la nourriture pour la semaine.

4 - Faire enrager Mademoiselle Willis pendant la classe.

5 - La fois où on a piqué un chariot de l'hôpital pour faire des glissades dans les couloirs pendant que tout le service était en train de nous chercher.

6 - Faire de la luge.

7 - Quand je suis arrivé en haut de l'escalator qui descend.

8 - Prendre les Montagnes Russes Ultimes douze fois de suite avec mes cousins au parc d'attractions.

9 - Descendre une colline à vélo, à toute vitesse, et ne pas freiner avant d'être tout en bas.

10 - Avoir l'impression que je peux faire tout ce que j'ai envie, même aller sur la Lune.

Le 7 mars

Une grande décision

On est rentrés à la maison et, le lendemain matin, Annie est passée nous voir. En fait, elle est venue deux fois ; la première pour me faire une prise de sang, nettoyer mon cathéter et pour me donner des plaquettes.

La deuxième fois, elle s'est assise par terre et elle m'a parlé. Je lui ai tout raconté sur le voyage en dirigeable et sur le petit hôtel où on a dormi et puis je lui ai montré les photos sur l'appareil de Papa.

« Ça avait l'air génial », a-t-elle dit.

« Ouais. C'était fantastique. »

« C'est vraiment super, Sam. Mais maintenant, dis-moi, comment tu te sens vraiment, au fond de toi ? »

Je n'avais pas du tout envie de parler de ça. « Ça va », ai-je répondu.

« Oh, Sam… », a dit Maman. Elle a regardé Annie.
« En fait, je voulais t'en parler. Il a été très fatigué ces derniers temps. Il s'est endormi plusieurs fois en pleine journée. Je croyais que c'était la morphine, mais… »

J'ai protesté : « Je ne me suis pas endormi dans le dirigeable. » Je ne voyais pas pourquoi Maman racontait tout ça à Annie. Mais je crois que, de toute façon, Annie le savait déjà. En tout cas, Maman a quand même continué à parler.

« Il a encore eu des douleurs dans les os, même si maintenant, je crois qu'on arrive à contrôler ça. Je me demandais… » Elle s'est arrêtée. « Les trucs qu'on lui a donnés à l'hôpital n'ont plus l'air de beaucoup faire effet. Est-ce qu'on ne devrait pas en parler à Bill pour essayer autre chose ? »

Annie n'a rien répondu pendant un bon moment. Puis elle a dit : « Si la chimiothérapie ne marche décidément pas, on n'a plus d'autre solution maintenant. »

Mon estomac s'est serré d'un coup. Je savais qu'Annie allait dire ça. À côté de moi, Maman s'est tendue. « Mais je croyais… Bill a dit qu'on avait encore un an. »

« Jusqu'à un an », a répondu Annie. Elle m'a regardé : « Je suis désolée. » Et elle avait réellement l'air désolé.

« Mais… » Maman semblait terrorisée. « On est censés arrêter ? Comme ça, d'un seul coup ? »

Je n'avais pas envie d'entendre la suite. Je me suis appuyé contre Maman et j'ai posé ma tête sur sa poitrine. Elle a passé son bras autour de moi.

« Personne ne va empêcher l'un de vous de faire ce que vous n'avez pas envie de faire », a repris Annie. « Mais… »

« Vous, vous, vous », ai-je pensé. « Mais c'est moi qui dois supporter ça. » J'ai senti que mon visage devenait tout chaud à cause de la colère. J'ai repensé à tous ces médicaments, à toutes ces aiguilles et à toutes ces salles d'attente d'hôpital qui ne m'ont pas fait aller mieux. C'était stupide de continuer à passer mon temps comme ça.

Alors j'ai dit : « Je veux arrêter. Annie a dit que ça ne marchait plus. Je pense que vous devriez arrêter de vous angoisser avec ça. »

Maman et Annie se sont tournées vers moi. Annie est intervenue : « Est-ce que tu es sûr de toi ? »

« Oui. » C'était la vérité. « C'est ma vie. Je n'ai pas envie de la passer à prendre des trucs qui ne me font rien. »

J'avais les muscles tendus et j'attendais que Maman refuse et se batte. Mais non. Elle s'est contentée de hocher la tête deux ou trois fois et puis elle a eu un drôle de rire tout tremblant. « D'accord. D'accord. Bon... » Elle a pris une grande inspiration. « Combien... je veux dire, combien... combien de temps il nous reste s'il arrête de prendre ses médicaments ? »

Annie s'est penchée pour prendre la main de Maman. « Cela peut aller jusqu'à deux mois. Mais ça pourrait ne durer que deux semaines. »

Maman a hoché encore la tête. « Deux mois... » Des larmes ont commencé à jaillir de ses yeux. « Mon Dieu ! On était censés avoir encore un an devant nous ! »

J'ai enfoui ma tête dans son épaule. « Ne pleure pas », lui ai-je dit. « S'il te plaît. Tu sais, je Lui dirai que ce n'est pas assez bien, ici », ai-je ajouté pour la faire sourire. « Quand je Le verrai. »

Maman a serré mon épaule. « Oui, fais ça, s'il te plaît. » Elle a eu encore un petit rire tremblotant. « Et dis-Lui qu'on veut être remboursés. »

Après leur départ, je me suis assis devant la fenêtre avec le chat sur les genoux. Colombus cognait sa tête contre mon poignet pour que je le caresse. Je me sentais tout engourdi et lourd. J'ai pensé : « Deux mois. » Puis : « Deux semaines ! »

J'aurais aimé que Félix soit là. Je me demande ce

qu'il aurait dit. Je l'ai imaginé, appuyé contre le dossier de son fauteuil, avec son chapeau baissé sur les yeux. Je lui ai dit : « Deux semaines ! »

« Cool », m'a répondu joyeusement le Félix imaginaire. « Fais tout ce que tu as envie de faire. Moi, c'est ce que je ferais. Réfléchis un peu : ils ne pourront plus jamais te dire non ! »

J'ai cligné des yeux. Est-ce que Félix pourrait dire ça ? Peut-être. J'ai pensé à lui. « Je n'ai envie de rien d'autre », lui ai-je dit, et c'était vrai. Enfin, rien de ce que Papa et Maman pourraient me donner de toute façon.

Félix a secoué la tête. « Je croyais que tu voulais voir la Terre depuis l'espace. Ça, tu ne l'as pas encore fait, n'est-ce pas ? »

Je me suis un peu redressé sur ma chaise. « Oui, mais ça, je ne croyais pas que j'allais pouvoir le réussir pour de vrai. »

Mais pour Félix, ce n'était pas une bonne excuse. Il ne m'aurait jamais laissé m'en tirer comme ça. On avait battu un record du monde. Enfin, presque. Et on avait vu un fantôme. Même un Félix imaginaire ne m'aurait jamais laissé m'en tirer comme ça.

« Trouillard », a-t-il dit. « Allez, vas-y, essaye pour voir. » Il m'a fait un grand sourire. « Je te parie que tu peux le faire. »

QUESTIONS AUXQUELLES
PERSONNE NE RÉPOND JAMAIS

n° 8

*Est-ce que le monde sera toujours là
quand j'aurai disparu ?*

Le 8 mars
La Lune et le pommier

Un jour, quand j'étais petit, j'ai regardé une émission de télé où il y avait un astronaute qui racontait ce que ça fait de voir la Terre de très très loin. On dirait un globe géant et vivant qui flotte dans l'espace, et puis on peut reconnaître la Grande Muraille de Chine et les montagnes et les villes et tous les nuages en train de tournoyer et on se dit : « Tous les humains sont là, sur ce globe, sauf moi. » Je me rappelle qu'en regardant cette émission, j'ai pensé : « C'est ça que je veux faire quand je serai grand. » Mais à l'époque je ne savais pas à quel point ce serait difficile.

Et maintenant, c'était la dernière chose à faire sur ma liste.

Je me suis assis et je me suis demandé comment

je pourrais faire. Peut-être que je pourrais demander à une association de m'envoyer aux États-Unis
pour me faire décoller ? Mais je ne crois pas que ça
marcherait. Ou peut-être qu'il y a un moyen un peu
détourné pour y arriver. Du genre : « J'ai quand
même déjà regardé la Terre depuis un dirigeable. »
Mais est-ce que ça compte ? Et puis j'ai aussi vu des
photos prises depuis l'espace. C'est presque comme
si je l'avais vue en vrai. Sauf que ce n'est pas du tout
ce que je voulais. C'est comme si on disait qu'on avait
envie de rencontrer la reine d'Angleterre et qu'on
nous donnait une photo à la place.

Je suis resté un bon moment sur le canapé sans
rien faire, je réfléchissais à tout ça. Et puis je me suis
endormi.

Quand je me suis réveillé, j'étais allongé dans mon lit.
On était au milieu de la nuit. Ma chambre était très obscure, beaucoup trop obscure, même. J'avais l'impression que les ombres avaient un drôle d'air, un peu
comme quand il neige et que la lumière semble d'un seul
coup plus brillante — sauf que là on aurait dit que tout
était plus sombre. J'étais allongé sur le côté et j'essayais
de comprendre ce qui se passait. Et puis, tout à coup, j'ai
compris : le lampadaire sous ma fenêtre ne marchait plus.

Je me suis assis et j'ai appuyé sur l'interrupteur. Rien. J'ai pensé : « Une coupure de courant ! C'est la nuit, il y a une coupure de courant et tout le monde dort sauf moi ! » Au même moment, j'ai eu une drôle d'impression, comme si je tremblais d'excitation. D'un seul coup, je ne pouvais plus rester au lit.

Je me suis levé et je suis allé dans la cuisine. Je savais où était la lampe de poche (dans le tiroir à bazar, avec les couteaux, le fil de fer et la colle), mais j'ai dû tâtonner un bon moment avant de la trouver. J'avais vraiment très peur que Papa ou Maman m'entende et descende. Quand je suis allé dans l'entrée pour chercher mon manteau, je n'ai pas osé allumer la lampe au cas où ils la verraient. Enfin, j'ai enfilé le manteau de Papa, le chapeau de marche de Mamie et puis les baskets de Maman et je suis sorti comme ça.

Dehors, il ne faisait pas aussi froid que je l'avais imaginé. Il y avait si peu de lumière que ça donnait des frissons. Notre jardin n'était plus un simple jardin. C'était une masse d'ombres argentées et de tas sombres qui se transformaient en arbres ou en buissons quand je les éclairais avec la lampe de poche. Et tout était très très immobile. Je suis resté un long moment sur le pas de la porte à repérer les lieux. Là, c'est la cour où je disposais tous mes Lego. Là-bas, c'est la mare qu'on a creusée avec mon cousin Pete. On avait passé la journée à la creuser. Après, mon père et oncle Leigh l'ont terminée proprement et puis Pete et moi, on a piqué des œufs de grenouilles dans le jardin de Mamie pour les mettre dedans. Il y a encore des grenouilles dans cette mare aujourd'hui. Les arrière-petites-grenouilles de nos têtards !

La mare avait l'air plus grande dans le noir, parce qu'en fait elle n'est pas si grande que ça. Elsa et moi, on arrivait sans problème à sauter par-dessus. Ou plutôt, on pourrait sauter par-dessus. Je n'avais pas réessayé depuis que j'étais retombé malade. Je me suis dit : « Je te parie que tu peux le faire », et là j'ai su que je devais essayer.

J'ai observé la mare pour calculer la longueur du saut que je devrais faire, en essayant de ne pas penser à ce qui se passerait si je ratais mon coup. Puis j'ai couru jusqu'au bord et j'ai bondi.

J'ai atterri lourdement de l'autre côté et je suis tombé les mains et les genoux en avant. La lampe de poche a roulé sur la pelouse. Je n'ai plus bougé en attendant que Maman ou Papa se demandent ce qui se passe. Mais je n'ai rien entendu. Je me suis assis pour regarder si je m'étais fait mal. Pas de sang. J'aurais sûrement des bleus, mais comme j'en avais déjà

plein partout, c'était vraiment pas grave. J'ai pensé :
« Je l'ai fait ! » Un frisson d'excitation est monté en
moi et je me suis dit : « Qu'est-ce que je vais faire,
maintenant ? »

Notre jardin n'est pas très grand. Il y a la mare et
une pelouse très bien tondue avec des parterres de
fleurs en forme de taches qui poussent au milieu. Tout
au fond, il y a un pommier et une haie avec une bar-
rière devant. On peut se faufiler tout le long entre la
haie et la clôture, comme si c'était un passage secret.

J'ai pensé : « Voilà ce que je vais faire. Je vais tra-
verser le passage secret en pleine nuit. » Mais quand
je suis arrivé là et que j'ai vu le pommier, j'ai eu une
meilleure idée. J'ai mis ma torche dans la poche de
ma veste et j'ai commencé à grimper.

C'était plus dur que ce que j'avais imaginé.
D'abord parce que je portais les baskets de Maman et
qu'elles n'arrêtaient pas de vouloir tomber. Je devais
garder mes doigts de pied bien serrés dedans pour les
tenir. Et puis je portais seulement un pyjama, donc
mes jambes se faisaient tout le temps égratigner.
D'habitude, je grimpais sans problème dans ce pommier pendant l'automne. Mais c'était beaucoup plus
dur cette fois-ci. J'avais du mal à trouver des prises
pour mes pieds et à me hisser de branche en branche.

En fait, c'était même plus amusant. J'ai pensé : « Je suis sûr que je vais tomber. Je vais tomber ! Je vais tomber ! » Je savais que j'aurais dû faire demi-tour. Mais je ne l'ai pas fait. J'ai continué à me hisser vers le sommet, même si j'avais très mal aux bras et aux jambes. Je suis arrivé tout en haut.

Et c'est là que je l'ai vue.

Là où j'habite, on ne voit pas très bien les étoiles. On en aperçoit quelques-unes, mais pas très nettement. Papa dit que c'est à cause des lampadaires. Mais cette nuit, comme ils étaient tous éteints, on ne voyait que des étoiles. Sur des kilomètres et des kilomètres et des kilomètres, jusqu'à ce que l'univers se replie sur les bords du ciel, on ne voyait que des étoiles. Il y avait Orion et la Grande Ourse et plein d'autres dont je ne connaissais pas le nom. Et puis surtout elle était là, immense, toute ronde et brillante comme de l'argent : la Lune.

Je ne pouvais pas m'arrêter de la fixer. Je n'avais jamais vu la Lune si grande ou si brillante. On aurait dit que quelqu'un l'avait découpée dans une feuille de papier d'argent avec de gros ciseaux d'école et l'avait scotchée dans le ciel. Je ne sais pas pourquoi c'était si fantastique. Peut-être parce que j'étais toujours fatigué et que j'avais plein de fourmis partout, ou peut-être parce que j'étais tout seul au cœur de la nuit, ou peut-être à cause de ce que m'avait dit Annie. Je ne sais pas. J'ai l'impression que je suis resté là pendant des heures à regarder, les yeux grands ouverts, sans pouvoir m'arrêter.

Je n'ai pas envie de raconter la descente de l'arbre ni comment j'ai cherché un pyjama qui n'avait pas de morceaux de feuilles ou de bois dessus alors que j'avais tellement envie d'aller me coucher pour dormir des heures et des heures. Ce qui était réellement important, c'étaient la Lune et le ciel étoilé. Et bien sûr, je savais que je n'avais pas vraiment regardé la Terre depuis l'espace (ce n'était pas non plus ce que j'avais imaginé quand je l'avais écrit), mais c'est pas grave. Ce que je voulais plus que tout, c'était la sensation qu'on a quand on regarde la Terre depuis l'espace. Et ça, je l'ai eue.

C'est drôle. Quand j'ai écrit cette liste, je n'aurais jamais imaginé que je pourrais réaliser la moitié de ces trucs. Ce n'étaient pas vraiment des choses que je pensais faire. C'étaient juste des… trucs, comme ça. Des idées.

Et puis maintenant, je les ai toutes réalisées.

Et puis après tout, pourquoi est-ce qu'on devrait mourir?

Je peux comprendre qu'on meure quand on est vieux. Personne ne voudrait vivre pour toujours. Une fois, j'ai lu un livre sur des gens qui pouvaient vivre éternellement et ils n'aimaient pas trop ça. Ils s'ennuyaient et devenaient vieux, solitaires et tristes. Et puis il y a aussi les aspects pratiques. Si personne ne meurt et qu'il y a toujours des gens qui naissent, le monde sera de plus en plus rempli, jusqu'à ce qu'on se tienne les uns sur la tête des autres, et puis après, on devra tous aller vivre sous l'eau, ou sur Mars, et même là, il n'y aura sans doute pas assez de place.

Je sais bien tout ça.

Mais ça ne m'explique quand même pas pourquoi des enfants doivent mourir.

Mamie dit qu'il ne faut pas voir les choses comme ça. Elle dit que mourir, c'est un peu comme quand les chenilles se transforment en papillons. Bien sûr, c'est effrayant, mais c'est aussi effrayant pour les chenilles de devenir des cocons. Qu'est-ce qui se passerait si les chenilles se baladaient en disant : « Oh non, je suis en train de me transformer en cocon, c'est trop injuste » ? Elles ne deviendraient jamais des papillons, voilà ce qui se passerait. Ce que Mamie veut dire, c'est que la mort est l'étape suivante dans le cycle de la vie. Comme le fait de se transformer en Spiderman était l'étape suivante dans la vie de Peter Parker. Donc, on ne devrait pas avoir peur. On devrait plutôt être impatient. De toute façon, je n'ai pas peur. C'est seulement retourner là où on était avant de naître et personne n'a peur de ce qu'il y avait avant sa naissance.

Dans mon ancienne école, on avait étudié les cycles de la vie. Je connais le cycle de l'eau, celui du charbon et le cycle de comment naissent les étoiles. Ils parlent tous de vieilles choses qui meurent pour que des choses nouvelles naissent. Les vieilles étoiles deviennent de nouvelles étoiles. Les feuilles mortes se transforment en bébés plantes. On peut voir ça comme la mort de quelque chose ou alors comme sa naissance. Ça dépend.

Différent

Tout est différent maintenant.

Je ne vais plus à la clinique. Annie vient plus souvent et, si elle ne vient pas, elle appelle Maman pour lui parler.

Les gens continuent à venir nous voir. Grand-Père et Grand-Mère ont fait le voyage depuis Orkney et ils ont dormi chez Mamie. Tata Jane m'a apporté un éléphant en bois et tata Nicole est venue d'Édimbourg pour me donner un livre sur les châteaux. Elle est repartie le même soir. Mon oncle Richard est arrivé pendant que je travaillais sur l'organisation des listes et des histoires dans mon livre avec Mademoiselle Willis. Maman m'a dit de venir lui parler, mais je n'avais pas envie. Maman s'est fâchée et m'a dit qu'il avait fait tout le chemin depuis Lincoln pour me voir. Je me suis fâché moi aussi. Je n'ai pas envie de passer ma journée à être gentil avec des oncles et des tantes.

Je lui ai dit : « Je veux finir mes affaires. Je peux jamais m'occuper de mes trucs à moi ! » J'ai penché ma tête sur ma feuille et j'ai arrêté de la regarder.

Mademoiselle Willis a dit que peut-être elle ne devrait plus venir aussi souvent.

Je lui ai répondu : « Non ! Je veux que vous continuiez à venir ! »

L'oncle Richard était vraiment gêné et il a dit qu'il ne voulait pas poser de problème. Il m'a donné un sweat-shirt avec « Surfin'USA » écrit dessus et puis il s'est assis sur le canapé pour discuter avec Maman pendant que Mademoiselle Willis et moi on essayait de travailler.

Après ça, Maman a décidé que les gens ne pourraient pas rester plus de vingt minutes et pas pendant la classe. De toute façon, je n'ai plus classe aussi régulièrement qu'avant. Mademoiselle Willis téléphone avant de venir pour vérifier que je ne suis pas en train de dormir. Je dors beaucoup, et ça peut devenir utile, parfois. Maureen, la copine de Maman, est venue trois fois pour me voir la semaine dernière et moi, j'ai fermé les yeux bien fort pour qu'on croie que j'étais en train de dormir.

Elsa est toute bizarre elle aussi. Les gens n'arrêtent pas de lui proposer d'aller au cinéma, d'aller à un cours de danse ou d'autres trucs, mais elle ne veut jamais. Elle ne va pas à l'école non plus. Tous les matins, Maman se dispute avec elle. La plupart du temps, Maman arrive à l'obliger à y aller mais, des fois, Elsa réussit à rester à la maison. Quand elle a le droit de rester, elle fait la petite sœur parfaite. Elle vient à côté de moi, elle met ses mains derrière son dos et me dit : « Maman voudrait savoir si tu as besoin de quelque chose ? »

Pour Maman, c'est une façon de me demander : « Est-ce que tu veux manger quelque chose ? » Elle a eu une grande conversation avec Annie sur le fait que je ne mange pas correctement. Depuis, elle ne me pousse plus à prendre mon dîner, mais elle continue à me donner des trucs à grignoter : des fruits, de la glace... Donc, hier, j'ai répondu : « Oui, je veux une bière et un hors-bord. » Elsa a rigolé et elle a couru voir Maman. Elle a disparu pendant super-long-temps. Puis elle est revenue, enveloppée dans un grand tablier de chef cuisinier. Elle portait un plateau avec dessus une bière qu'elle avait demandée en gloussant aux voisins.

Hier, Maman l'a laissée rester à la maison parce que j'avais beaucoup saigné du nez en pleine nuit et que j'avais réveillé tout le monde. Mademoiselle Willis lui a dit qu'elle pouvait faire la classe avec nous.

Elle lui a demandé : « Tu ne veux pas écrire un livre toi, n'est-ce pas ? » Elsa a secoué la tête.

Elle a répondu : « Non, moi, je vais faire des dessins pour le livre de Sam. »

Je n'ai pas trop envie de mettre les dessins de bébé d'Elsa dans mon livre, mais je ne l'ai pas dit. Peut-être qu'elle peut en faire un, mais un seul, alors. Hier, elle a fait un grand dessin de nous tous. Il y avait un soleil rond et jaune et un ciel bleu très fin tout en haut de la feuille, et puis de l'herbe toute pointue et puis elle et moi et Maman et Papa, tous avec des visages bien ronds au feutre rose et des grands sourires au feutre rouge.

Le 29 mars
Les oiseaux d'argile

Je ne fais que dormir. Quand je ne dors pas, je n'arrive pas à me réveiller complètement. Je me sens fatigué et j'ai mal partout. Je n'arrive pas à écrire et je n'arrive pas à réfléchir.

Quand Mademoiselle Willis est venue aujourd'hui, je lui ai dit que je ne voulais pas travailler. Elle ne m'a pas obligé. À la place, elle a sorti un seau d'argile de sa voiture et elle l'a apporté dans la maison pour qu'on fasse des trucs avec. On a posé des journaux sur la table du salon et on a étalé l'argile dessus. Il y en a un peu qui est tombé sur la moquette mais Maman n'a rien dit. Elle a dit que ça partirait avec de l'eau et du savon et que, de toute façon, tout partait avec un bon lavage. Et c'était vrai.

L'argile était parfaite, bien sombre et humide, glissante et moelleuse. J'en ai pris dans la main et je l'ai serrée très fort pour qu'elle sorte sur les côtés et qu'elle dégouline dans mon autre main. Avec, j'ai fait des balles et des mini-avions et puis aussi des petits fossiles que je voulais enterrer dans le jardin pour que les géologues du futur se posent plein de questions. J'ai gravé mon nom dessus avec un couteau. Sam Oliver McQueen. S.O.M. Sam.

Mademoiselle Willis m'a fait un petit bateau avec un mât et une voile en argile, mais pas de quille, parce que c'est un bateau en train de naviguer et qu'on ne peut pas voir la quille sous l'eau. Il y a un drapeau en haut du mât, penché en arrière pour faire comme s'il était en train de voler au vent.

Elle m'a demandé : « Où est-ce qu'il va ? »

Et j'ai répondu : « En Afrique. »

J'ai aussi fait un petit oiseau rond pour Elsa, un merle parce qu'elle a les cheveux noirs. J'ai aussi fait un hibou pour Papa avec des grandes lunettes de hibou comme les siennes et des plumes que j'ai dessinées au couteau. Pour Maman, j'ai fait un moineau, à cause de l'histoire dans la Bible qui parle des deux moineaux qui ont été vendus pour un sou. Tout le monde croyait qu'ils ne valaient rien, mais Jésus les connaissait par leur nom.

Mademoiselle Willis m'a dit qu'elle emporterait mes oiseaux et mon bateau chez un de ses amis et qu'il les ferait cuire dans son four à céramique, comme ça ils deviendraient tout durs et garderaient leur forme pour toujours. Elle a dit que la prochaine fois qu'elle viendrait, on pourrait les peindre avec soin et qu'après je pourrais les donner en cadeau.

Je pourrais les donner dès que la peinture serait sèche. Ou bien, si j'en ai envie, je pourrais les garder un moment et les donner plus tard.

Les cadeaux

Aujourd'hui, Mademoiselle Willis a rapporté mes oiseaux.

La chaleur du four avait durci l'argile et elle était devenue rose pâle. On a regardé à quoi ressemblaient les moineaux, les hiboux et les merles dans le grand livre sur les oiseaux de Maman, pour être sûrs de les peindre de la bonne couleur. Pour Papa, j'ai fait un grand duc parce qu'ils sont si grands et si féroces. Ils ont des petites pointes touffues sur les oreilles, mais moi je les ai juste peintes sur le dessus de la tête de mon hibou. Pour Maman, j'ai fait une fauvette, avec un ventre gris et de petits yeux. Les fauvettes et les grands ducs sont très différents mais ils ont les mêmes couleurs : marron, avec des taches noires.

« C'est le grand rassemblement des emplumés ! »
a dit Mademoiselle Willis en les posant les uns à côté
des autres.

L'oiseau d'Elsa était facile à peindre. Je lui ai fait
des ailes noires et brillantes et un bec jaune, même
si les femelles merles ne sont pas noires. Dans le livre
de Maman, le merle avait la tête tendue vers le haut
et un éclair dans l'œil. Il ressemblait un peu à Elsa avec
son air à chercher la bagarre.

J'ai pensé : « Celui d'Elsa va vraiment être bien »
et j'ai dessiné un sourire sur son oiseau. En réalité,
les oiseaux ne sourient pas mais, de toute façon, les
hiboux ne portent pas de lunettes non plus et celui de
Papa en avait, donc on s'en fiche.

Après le départ de Mademoiselle Willis, je me suis
encore endormi. Quand je me suis réveillé, j'étais
allongé sur le canapé et j'ai pensé à elle, à Mamie et
aussi à Annie. Je devrais leur faire des cadeaux, à elles
aussi, mais je n'avais plus de terre glaise et je ne savais
rien fabriquer d'autre, à part des gâteaux. Et les
gâteaux, on ne peut pas les conserver. Je voulais faire
des cadeaux qui durent pour qu'on ne m'oublie pas.
Je sais que Mamie a plein de photos de moi, mais pas
Annie et pas Mademoiselle Willis.

Je me suis levé pour aller trouver Maman. Elle était assise à la table et regardait le jardin par la fenêtre.

Quand je suis venu m'asseoir à côté d'elle, elle m'a dit : « Salut, mon chéri. » Elle a mis son bras autour de mes épaules : « Comment tu te sens ? »

« Ça va. » J'ai posé ma tête contre elle. « Est-ce que tu as des photos de moi ? »

« Oui, je pense que j'en ai une ou deux quelque part. Pourquoi ? »

« Je voudrais faire quelque chose pour Annie et Mamie et Mademoiselle Willis. J'ai pensé que je pourrais fabriquer des cadres et mettre des photos dedans. Mais le problème, c'est que j'ai utilisé toute la terre glaise pour les oiseaux. »

Maman m'a répondu : « Ne t'inquiète pas. Je suis sûre qu'on va trouver une idée. »

On a passé un bon après-midi. Maman a retrouvé de vieux cadres pour photos et on a collé dessus des morceaux des carreaux qui restaient de la salle de bains.

Quand la colle a séché, on a bouché les trous avec de l'enduit, comme ça on ne pouvait plus voir les anciens cadres. On a demandé à tous les gens qui sont passés nous voir de nous aider.

Je me suis endormi pendant qu'ils les terminaient. Quand je me suis réveillé, Maman, le vicaire et deux vieilles dames de la paroisse étaient assis, les mains pleines d'enduit, à fabriquer des cadres pour mes photos.

Le printemps

Aujourd'hui, quand je me suis réveillé, le soleil brillait par la fenêtre. Je me suis mis sur le côté pour regarder les rayons danser sur le mur. L'air était plein de lumière.

Je me suis levé et je suis allé dans le salon en marchant très lentement, en faisant très attention. Je me sentais tout bizarre, un peu étourdi. Le monde avait l'air différent, un peu comme quand on a l'impression de le regarder depuis l'extérieur. C'est très étrange comme sensation. Ça, c'est un canapé, ça, c'est le vieil éléphant en peluche d'Elsa et ça, c'est un pied à perfusion. C'était comme si je voyais ces objets pour la première fois sur un écran de télé. Tout est très net, très réel. Et ça fait bizarre de se dire qu'on fait partie de ce monde. Et en même temps, on a l'impression de ne pas être là pour de vrai, comme si on regardait tout ça de loin.

Peut-être que vous ne voyez pas ce que je veux dire mais, en tout cas, c'est comme ça que je me sentais.

Elsa était assise sur le canapé, en pyjama, et elle regardait des dessins animés. Papa et Maman se partageaient le gros journal du dimanche sur la table à manger. Ils ont levé la tête quand je suis entré dans le salon.

« Regarde », a dit Maman. « Le printemps est arrivé. »

J'ai regardé par la fenêtre. Le soleil brillait, le ciel était bleu sans aucun nuage et on pouvait voir pour la première fois les nouvelles petites feuilles qui se déployaient sur les arbres.

Je me suis assis à côté de Papa. Je me sentais encore tout bizarre. Comme si je n'étais plus connecté au reste du monde.

« Annie va arriver dans un petit moment », a dit Maman.

Je lui ai demandé : « Est-ce qu'on pourrait aussi inviter Mademoiselle Willis ? » Elle a tout de suite compris ce que je voulais dire.

Il faisait encore un peu froid pour s'asseoir dans le jardin, mais c'était pas grave. Maman n'arrêtait pas de courir dans tous les sens pour faire du thé et offrir des biscuits à tout le monde, et moi je n'arrêtais pas de lui dire : « Maman. Ma-man… » jusqu'à ce qu'enfin, elle pose la théière et dise : « Sam a quelque chose pour vous. »

Ils ont aimé leurs cadeaux. Papa a tellement aimé son grand duc qu'il a dit qu'il allait s'acheter du gel pour les cheveux et se faire des pointes au-dessus des oreilles pour effrayer tous ses employés. Mademoiselle Willis a dit qu'elle n'avait jamais reçu un cadeau si gentil et que c'était même mieux que quand l'un des enfants dont elle s'était occupée lui avait offert une des pierres que fabriquaient ses reins. Tous les adultes se sont assis et ont discuté pendant des heures et des heures. Elsa a commencé à s'ennuyer et elle est partie jouer au jokari, mais moi j'avais pas trop envie. Je suis resté là à les regarder en essayant de les garder bien fort dans ma mémoire, et puis je me suis endormi.

Liste n° 10

Où est-ce qu'on va après la mort ?

1 - Peut-être qu'on devient un fantôme pour hanter les gens. Comme ça on peut rendre visite à sa famille et lui faire comprendre qu'on va bien. On peut voler et rester debout toute la nuit, et puis entrer sans payer dans les parcs d'attractions et les cinémas.

2 - Peut-être qu'on se réincarne et qu'on naît dans la peau de quelqu'un — ou de quelque chose — de différent. Je voudrais me réincarner en loup. Ou en extraterrestre.

3 - Peut-être qu'on va au paradis.

4 - Peut-être qu'on va en enfer.

5 - Peut-être qu'on va au purgatoire. C'est l'endroit où on nous envoie si on n'est pas assez bon pour aller au paradis et pas assez méchant pour aller en enfer. On flotte dans le purgatoire sans aller nulle part pendant des années et des années et des années, jusqu'à ce qu'on devienne assez bon pour aller au paradis.

6 - Peut-être qu'on devient une petite partie de tout l'univers et qu'on est parfois un nuage, parfois un arbre, etc.

7 - Peut-être qu'on a juste l'impression de s'endormir.

8 - Peut-être que c'est un mélange de tout ça. Ou peut-être que certains seront des fantômes et que d'autres se réincarneront.

9 - Ou peut-être que c'est quelque chose de tout à fait différent. Personne ne le sait.

Le 12 avril
Rêver

Cette fois, quand je me suis endormi, j'ai rêvé.

J'ai rêvé que je dormais encore une fois dans le grand lit de Papa et Maman. Ils étaient là tous les deux, avec Elsa. Il était très tôt le matin. Je voyais la lumière arriver par la fenêtre et le ciel, immobile, pâle et fragile. Il n'y avait pas de nuages. Tout était très net. Je voyais les rideaux bouger dans la brise qui soufflait par la fenêtre. Je voyais le pommier dans le jardin, tout recouvert de nouvelles petites feuilles.

Dans mon rêve, on était tous endormis. Elsa dormait sur le dos à côté de moi. Elle avait le visage tout rose et je voyais ses muscles qui bougeaient sous sa peau, et donc je savais qu'elle était en train de rêver. Papa avait passé un bras autour d'elle. Le dos de sa main frôlait la mienne. Maman dormait sur le côté, tout enroulée contre moi. Je sentais ses cheveux doux et légers contre mon cou.

Je dormais moi aussi, tout chaud au milieu de mon nid familial, mais j'avais l'impression d'être en dehors de moi-même. Je me regardais dormir d'en haut. Il n'y avait pas de lumières éclatantes. Il n'y avait pas d'anges. Il n'y avait que Maman, Papa et Elsa endormis dans le grand lit et moi au-dessus d'eux, qui les regardait pendant qu'ils devenaient de plus en plus petits et s'éloignaient de plus en plus.

Quand je me suis réveillé, j'étais allongé dans le grand lit, comme dans mon rêve. La chambre était pleine de lumière pâle et l'atmosphère était toute douce grâce au silence du matin. Maman dormait sur son côté. Papa était allongé les yeux ouverts à côté de moi. Quand il m'a vu le regarder, il m'a souri.

Il a dit : « Salut » et a tendu la main. Je l'ai serrée mollement dans la mienne.

J'ai demandé : « Pourquoi est-ce que je suis dans ton lit ? »

« Parce que tu as eu de la fièvre. »

Je suis resté allongé en silence. Je me sentais

vraiment bizarre. C'était comme si mon corps n'était plus à moi ; comme si j'étais en train de flotter au-dessus de lui. Il avait l'air vieux et lourd et surtout très très fatigué.

« Je t'aime », m'a dit Papa tout à coup.

C'était comme s'il était très loin et sans importance.

« Je sais. »

On est restés allongés là tous les deux, très silencieux et immobiles. Je tenais toujours ses doigts entre les miens. Puis j'ai à nouveau fermé les yeux et j'ai doucement replongé dans le sommeil.

Mourir

1. Sam est mort *le 14 avril à environ 17 h30.*
   Sa mort était due à *une leucémie lympho-*
   blastique aiguë.

2. La mort de Sam a été :
   - ☑ Paisible.
   - ☐ Horrible. Une agonie terriblement douloureuse.
   - ☐ Un peu entre les deux.
   - ☐ Aucune idée, on mangeait des frites
     à la brasserie.
   - ☐ Autre, précisez.

3. Il était :
   - ☑ À la maison.
   - ☐ À l'hôpital.

☐ Chez Félix, son meilleur ami.

☐ Dans le bus numéro 37.

☐ Autre, précisez.

4. Les personnes autour de lui étaient :

☑ Toute sa famille. Maman, Papa et Elsa.

☐ Personne.

☐ Le personnel médical habituel.

☐ La reine d'Angleterre.

☐ Autre, précisez.

5. Le temps était :

☐ Chaud.

☐ Froid.

☑ Entre les deux.

☐ Il pleuvait à torrents.

☐ Autre, précisez.

6. Autres informations :

Sam est mort sans bruit pendant son sommeil. Il n'a pas souffert.

Liste n° 11

Ce que j'aimerais qu'il se passe après ma mort :

1 - À mon avis, un enterrement, ça devrait être rigolo. Les gens ne devraient pas s'habiller en noir. On devrait raconter des histoires drôles sur moi, pas des tristes.

2 - Tous ceux qui veulent lire mon livre peuvent. Ce n'est pas un secret.

3 - Vous devriez donner toutes mes affaires. Vous pouvez en garder quelques-unes mais vous n'êtes pas obligés de toutes les garder.

4 - Elsa pourra prendre ma chambre parce qu'elle est plus grande que la sienne.

5 - Elle peut aussi avoir mon vélo et ma Playstation.

6 – Vous avez le droit d'être tristes,
mais vous n'avez pas le droit d'être trop tristes.
Si vous êtes toujours tristes quand vous pensez
à moi, alors comment est-ce que vous allez
vraiment vous souvenir de moi ?

Remerciements

Je voudrais d'abord dire un grand merci à Julia Green et à tous ceux du merveilleux master d'écriture pour les jeunes de Bath Spa : Sandra-Lynne Jones, Kellie Jones, Julia Draper, Sian Price, Tara Button, Sarah Oliver, Lucy Staff, Sarah Lee et Liz Kernoghan. Sans vous ce livre n'aurait jamais été écrit. Merci pour vos encouragements, pour m'avoir dit « Non, Sally », semaine après semaine et pour vos suggestions inestimables.

Merci aux infirmières spécialisées en cancer et en leucémie des enfants de l'hôpital pour enfants de Bristol qui ont répondu à toutes mes questions. Merci en particulier à Cylla Cole de l'Hôpital royal de Bristol pour son enthousiasme et pour avoir relu mon manuscrit avant publication. Merci à Anna James, pour m'avoir décrit les plaquettes (« jaunes et gargouillantes ») et les pavillons d'oncologie (« étonnamment chaleureux ») et pour m'avoir laissée voir son cathéter de Hickman.

Merci à ma chère maman pour avoir cru en moi et m'avoir soutenue, et à ma famille pour tous les petits morceaux de vie que j'ai empruntés pour ce livre. Merci à la République de Stanley Road pour avoir dit :

« Bien sûr que tu seras un écrivain ! » et s'être moquée de moi d'une manière si encourageante. Merci à Tom Harris pour m'avoir souri amoureusement par-dessus un écran de portable. Merci à Raoul Sullivan pour m'avoir expliqué combien les dirigeables sont extraordinaires. Et merci à Rosemary Canter pour avoir dit oui.

Enfin, merci à Oliviero Napoli pour avoir accepté d'être l'écriture de Sam. Merci à Filipo Napoli pour avoir fait les dessins de Sam, à Freya Wilson pour avoir dessiné celui d'Elsa et à Nikalas Catlow pour ceux de Papa. Merci aussi à Caro Humphries et Tom Harris pour m'avoir prêté leur écriture.

Sally Nicholls. Londres, 2007.

GROUPE CPI

Achevé d'imprimer en septembre 2008
par **BUSSIÈRE**
à Saint-Amand-Montrond (Cher)
N° d'impression : 082685/1.
Dépôt légal : octobre 2008.
Imprimé en France